Volgend jaar zomer

Edgar Rai

Volgend jaar zomer

Karakter Uitgevers B.V.

Oorspronkelijke titel: Nächsten Sommer

Vertaling: Frances van Gool

Opmaak binnenwerk: ZetSpiegel, Best
Omslagontwerp: blauwblauw-design | bno
Omslagbeeld: © Layne Kennedy/Corbis

ISBN 978 90 6112 776 5
NUR 302

1

‘Waar bleef je nou?’ Bernard kijkt me aan alsof ik hem een verklaring schuldig ben. ‘De eerste helft is al voorbij.’

Hij is chagrijnig. Dat is altijd zo als hij bij zijn moeder is geweest. Ik zou kunnen zeggen dat hij mijn te laat komen niet persoonlijk moet opvatten, maar Bernard neemt zelfs rot weer persoonlijk op. Ik zou ook kunnen zeggen dat ik niet geïnteresseerd ben in voetbal; nooit in voetbal geïnteresseerd ben geweest, trouwens, en me er ook nooit voor zal interesseren. Dat ik niet eens weet wie er tegen wie speelt vanavond en dat ik alleen maar ben langsgekomen omdat Marc vond dat ik me niet de hele dag moest opsluiten. En omdat ik iets te vertellen heb.

‘Sorry,’ zeg ik.

Dat was kennelijk wat hij horen wilde, in elk geval doet Bernard de deur nu open. ‘Maakt niet uit. Het staat toch maar nulnul.’

In Bernards huis ruikt het altijd een beetje naar ziekenhuis. Een geur die zijn stinkende best doet heel gewoon over te komen, maar altijd klinisch blijft. In zijn hal bevindt zich een mortuarium van gepolijst RVS voor schoenen. Zestien vakjes met een klepdeurtje waarachter evenzoveel paren schuilgaan aan de ene kant, en zestien identieke vakjes met klepdeurtjes ertegenover. Alsof er een spiegel in het midden van de gang staat.

Ik heb er lang over nagedacht, maar inmiddels weet ik dat dat hem overeind houdt, die hang naar symmetrie en perfectie; dat alles functioneert en zinvol is als het een zekere geometrische orde volgt. Marc denkt zelfs dat orde voor Bernard een religie is

– en dat hij vroeger vast niet achterom keek om te zien wat voor viezigheid hij nu weer geproduceerd had.

Ik houd weer meer van gekke getallen. Priemgetallen bijvoorbeeld. Die zijn echt te gek. Volgen geen enkele ordening. Je kunt priemgetallen niet berekenen. Ze zijn zoiets als een kosmische knipoog. Anders kun je alles op een gegeven moment wel verklaren – wat overigens niet wil zeggen dat we die niet zullen vinden.

Zoë zit op de bank en zit zich ongenadig te vervelen. 'Hoi Felix,' zegt ze als ik binnenkom, met een kort lachje.

Die was liever ergens anders. Waarschijnlijk bij Ludo, of dan tenminste ergens waar belangrijkere mensen zijn; mensen die ze kent uit de bladen of van de tv. Ludo is, om het even kort uit te leggen, de Vos van Notarissen Vos & Weber, hét adres voor mensen die op allerlei manieren belasting willen ontduiken en er zonder al te veel kleerscheuren vanaf willen komen. En bovendien is hij Zoë's baas. Vos is de boss. Maar Ludo en zijn vrouw zijn vandaag bij dure vrienden en Bernard liep al zo lang te zeuren over de wedstrijd dat Zoë zelfs dankbaar op zijn uitnodiging inging.

Ik vroeg me af of het de laatste keer is, dat we zo met zijn vieren zijn. Zonder de onvermoeibare Bernard, die zich aan ons vastklampt als een jaloerse minnares, waren we al lang en breed uitgewaaierd in verschillende windrichtingen. Dan was Marc inmiddels de wereld aan het veroveren met zijn gitaarspel, deed Bernard ontzettend zijn best iemand anders te zijn en verkeerde Zoë in hogere kringen.

Maar in het hier en nu zit Marc op het balkon en rookt zijn laatste jointje van de dag.

'Diogenes!' roept hij me toe. Sinds ik in een houten bouwkeet woon, noemt hij me graag Diogenes, naar de klassieke tonbewoner. 'Hoe ging het bij je vader?'

Ik ga naast hem op de bank zitten en leg mijn voeten naast de zijne op de balustrade. 'Zoals het altijd gaat bij hem.'

Marc houdt zijn stickie omhoog. 'Een hijs?'

Dat is een running gag tussen ons. Ik rook niet, ik drink niet en ik gebruik geen drugs.

'Straks misschien,' antwoord ik. 'Ik heb net nog een lijntje gesnoven.'

Zo zitten we naast elkaar, en Marc nestelt zich net tegen de muur, als Bernard ons roept voor de tweede helft. We hebben de avondzon in ons gezicht; het is de eerste warme dag van dit jaar. Gisteren was het nog winter, leek het nog lang te duren voor het lente werd. Maar vandaag is alles anders. Je zou 's nachts kunnen gaan fietsen in je T-shirt zonder kou te vatten.

Marc moet zijn ogen dichtknijpen, zelfs al heeft hij een zonnebril op. Beneden in de tuin begint in het frisgroene gras een kastanje uit te botten.

'Toch moet je een keer een hijs nemen,' zegt hij. 'Dan ziet alles er ineens heel anders uit.'

'Ik vind alles er prima uitzien zoals het is.'

Marc denkt na. 'Dat zou ik ook wel eens willen zien.'

Als we weer naar binnen gaan zegt hij: 'Straks gaan we nog wel even bij de strandtent langs – beetje pootjebaden.'

'Oké,' zeg ik. 'Ik moet je toch nog wat vertellen.'

Het duurt een halfuur voordat mijn laatste zin tot Marc doordringt. Intussen is het al de 85e minuut. Zoë zit nu in een stoel. Bernard, Marc en ik zitten op de bank. Op het veld gebeurt nog minder dan in Bernards woonkamer. Bernard schuift ongedurig in zijn stoel. Veel liever had hij ons een spannender wedstrijd laten zien en nu voelt hij zich een beetje schuldig, omdat het zo saai is. Hij drinkt een blikje bier, dat op een kurken onderzetter staat – het is zo'n merk voor mannen die met het drinken van bier hun spieren kunnen opbouwen. Maar ja, ik drink niet. Daarnaast staan bakjes light chips en stukjes wortel en komkommer, die hij om een schaaltje dipsaus heeft gerangschikt. Bernard is echt net een moeder. Niet dat Marc en ik er een nodig hebben, maar moeders blijven moeders. Of je ze nu nodig hebt of niet.

'Jij had mij wat te vertellen?' vroeg Marc.

Een van de spelers komt ten val en krijgt een vrije trap. Ineens komt er meer leven in de brouwerij dan in alle speelminuten ervoor.

'Doorgebroken speler!' roept Bernard.

'Ik kan het straks ook wel vertellen, hoor,' zeg ik.

Terwijl de scheidsrechter aangeeft waar de muur moet komen, denkt Marc na over mijn antwoord.

'Nee,' zegt hij. Intussen is Zoë wakker geworden. 'We kennen elkaar al vijftien jaar en ik heb nog nooit meegemaakt dat je iets móet vertellen. Voor de draad ermee!'

Nu kijkt ook Bernard naar me. De speler heeft de bal neergelegd. Ik ben de enige die zijn aanloop ziet.

Zoë kijkt naar me. 'Nou, kom op.'

'Ik heb een huis in Zuid-Frankrijk geërfd van mijn oom,' vertel ik.

Op dat moment valt de goal. In de 88e minuut. Negen spelers in het rood begraven de tiende man onder zich.

'Ach, shit!' roept Bernard.

'Doe toch eens rustig.' Marc zet zijn blikje opzettelijk naast de onderzetter. 'De vrije trap herhalen ze zo meteen toch nog honderd keer.'

'Ja, maar ik heb hem niet in het écht gezien.'

'Je hebt hem sowieso niet in het echt gezien.'

'Je hebt een huis in Zuid-Frankrijk geërfd van je oom?' Zoë klinkt een beetje alsof zij het graag had willen erven.

'Nou ja, strikt genomen heb ik het niet geërfd,' antwoord ik. 'Het blijkt al twintig jaar in mijn bezit te zijn, maar ik wist er niet van.'

Bernard fronst zijn wenkbrauwen, 'Hoe is dat dan gegaan?'

Dan vertel ik hun dat het huis nooit op naam van mijn oom heeft gestaan, maar dat ik in het kadaster altijd als eigenaar te boek stond. De rest van zijn vermogen heeft oom Hugo nagelaten aan een weeshuis in Marseille. Mijn vader krijgt niets.

'Maar hoe kan zoiets?' vraagt Zoë. 'Ik bedoel, hoe komt je oom erbij dat huis op jouw naam te zetten?'

Op de televisie laten ze nu vanuit zes verschillende hoeken zien hoe de bal in de linkerbovenhoek wordt geschoten. Daarbij volgt deze een baan die mathematisch niet valt te verklaren. Het ziet er elke keer weer anders uit, maar het doet er ook niet toe hoe het eruitziet: het blijft 1-0.

'Weet ik niet,' antwoord ik naar waarheid.

Het duurt eventjes, maar dan barst Zoë los. 'Wauw! Je bent huiseigenaar!'

'Geloof niet dat het wat bijzonders is, dat huis.'

'Ben je er nog nooit geweest?' wil Bernard weten.

Ik schud mijn hoofd. 'Mijn moeder wilde er een keer naartoe met vakantie, maar mijn vader zei altijd dat geen tien paarden hem zover kregen.'

'Wat zal die balen!' roept Marc. 'Die is toch afgegaan als een gieter – jezus, Bernard, zet die buis toch eens uit!'

De wedstrijd is voorbij, de reclame is in beeld.

Bernard pakt de afstandsbediening en zet het geluid uit. 'Zo meteen komt de analyse,' verklaart hij.

Marc snuift: 'Hier is je analyse: negentig doodsaaie minuten, onderbroken door een goal door middel van een vrije trap in de achtentachtigste minuut. Bayern is weer een ronde verder. En nu gaat ie uit.' Hij wendde zich tot mij. 'Is die ouwe van jou niet uit zijn plaat gegaan?'

Ik haal de sleutel tevoorschijn uit mijn broekzak; ik draag hem al de hele middag bij me. 'Toen de notaris deze aan me gaf leek het wel alsof hij me aan wilde vliegen.'

Zoë kent mijn vader niet goed. 'En wat zei hij toen?' vroeg ze.

'De notaris?'

'Je vader natuurlijk.'

'Dat ik er mijn leven lang spijt van zou hebben.'

'Dat meen je niet!'

In plaats van te antwoorden haal ik mijn schouders op.

Zoë laat zich weer in haar stoel vallen. 'Wie zegt er nou zoiets?' denkt ze hardop. En omdat het een retorische vraag is, geeft niemand antwoord.

Eindelijk zet Bernard de tv uit. 'Daar begrijp ik niets van – je vader heeft toch alles al.'

Het antwoord komt van Marc. 'Maar toch heeft hij niet genoeg.'

Heel lang hoor ik niets anders dan mijn drie vrienden die om beurten een slok uit hun blikje bier nemen, om deze vervolgens op de onderzetters terug te zetten. Behalve Marc, die het zijne met een klap op de glazen tafel neerzet. Hij provoceert graag, en Bernard is ook iemand die het provoceren uitlokt.

Zoë breekt een worteltje in tweeën. 'En ben je er nog nooit geweest?'

Uit de kastanjeboom stijgt een vogeltje op dat verdwijnt in het schemerdonker. 'Ik ken het alleen van foto's,' zeg ik. 'Vanaf de veranda kan je de zee zien.'

Marc pakt zijn vloeitjes en draait een sjekkie. 'De zee?' vraagt hij. 'Echt waar?'

'Er wordt hier alleen op het balkon gerookt,' zegt Bernard vermanend.

'Volgens mij wel,' zeg ik.

Marc likt aan het vloeitje en kijkt om zich heen. 'Wat doen we hier dan nog?'

2

Ik was zes toen oom Hugo me leerde hoe je vliegtuigjes vouwde. Het was Kerstmis. Mijn opa en oma waren er, mijn ouders, mijn broer Sebastiaan en mijn oom Hugo. Opa was er echter alleen in lijfelijke zin. Hij zat in de grote leunstoel, met zijn armen op de leuningen en lachte wat voor zich uit, alsof alles naar wens was. Zijn handen en vingers hingen over de leuning naar beneden als droge bladeren, zijn hoofd verdween voor de helft in het schijnsel van de staande schemerlamp naast hem. Op zijn voorhoofd stonden zweetparels, maar als hij ze al opgemerkt had, last had hij er niet van. Hij hield van warmte.

Sebastiaan had snel al zijn pakjes opengescheurd en stond voor het wandmeubel met een afstandsbediening met antenne in zijn hand. Op de grond reed zijn raceauto in het rond, die met regelmaat tegen voeten of enkels aan botste.

'Nee, niet zo!' Mijn vader boog zich over hem heen. 'Geef hier, dan zal ik het je laten zien,' zei hij en pakte het apparaat van mijn broer af.

Mijn moeder zat zwijgend op de bank, naast oma. De laatste met een bordje soesjes op haar schoot. Met kleine tussenpozen nam ze er een tussen twee vingers beet, klopte de poedersuiker af op de rand van het bordje, bracht het naar haar mond en beet er een hapje af. In de boom brandden kaarsjes.

Naast de blauwe spar lag een torenhoge stapel cadeaupapier. Hij kwam tot mijn schouders. Achter mijn rug botste Sebastiaans auto tegen de kamerdeur en sloeg over de kop.

Oom Hugo sloeg een arm om me heen. 'Als je wilt kan ik je laten zien hoe je een papieren vliegtuigje vouwt.'

Ik knikte.

Hij knikte naar de stapel cadeaupapier. 'Zoek daar maar wat uit.'

Ik koos een donkerblauw stuk papier met sterren; daar had Sebastiaans auto in gezeten. Oom Hugo trok een stoel aan bij de keukentafel. Ik ging naast hem staan. De rook van zijn pijp prikkelde in mijn neus. Het was de kunst, zo legde hij uit, aan te voelen waar het zwaartepunt moest liggen, zodat het vliegtuigje zich niet met de neus voorover in de grond boorde, of juist te snel opsteeg, om vervolgens op het dak te belanden. Als het nodig was, kon je zelfs een cent in het papier verstoppen, zodat je het zwaartepunt verlaagde.

'Jij hebt toch een wiskundeknobbel,' zei oom Hugo, 'waarschijnlijk kun je het beter dan ik.'

Ik wist nog niet eens wat een wiskundeknobbel was, maar ik wist dat niemand zo goed papieren vliegtuigjes kon vouwen als oom Hugo. Dat wist iedereen. En nu werd ik ingewijd in zijn geheime kunst.

We vouwden het samen. Oom Hugo herhaalde elke stap, zodat ik alles goed begreep. Het werd een nachtblauwe straaljager met sterren op de vleugels. Hij liet zien hoe ik hem moest vasthouden.

'Hier,' zei hij en voerde mijn vinger naar de bewuste plek. 'Voel je hoe het gewicht nu verdeeld is?'

Ik zei dat ik het voelde, maar wist het eigenlijk niet zeker. De auto van Sebastiaan had zich intussen tussen de muur en een radiator klemgezet. Heel even was het rustig in de kamer. Oom Hugo bewoog mijn arm.

'Loslaten,' zei hij.

Het vliegtuig zweefde rustig door de kamer, beschreef een perfecte halve cirkel – langs het wandmeubel en tussen de takken van de kerstboom – en belandde uiteindelijk in opa's schoot, die er geen enkele acht op sloeg maar vriendelijk bleef glimlachen.

Toen hij probeerde de auto onder de verwarming vandaan te trekken, brak een stuk van de spoiler van Sebastiaans racewagen af.

'Rotding!' riep Sebastiaan.

Vader gaf Sebastiaan de afstandsbediening terug. 'En, Hugo?' vroeg hij aan zijn broer. Zelfs opa wist wat er op die vraag zou volgen: 'Een partijtje schaak?'

Hugo's antwoord was hetzelfde als dat van het jaar ervoor. 'Als je wilt.'

Daarna trokken beiden zich terug in vaders studeerkamer.

Dag 1

'En hij ziet mij als punt
Aan de horizon verdwijnen
Om me een stuk verder achter
Mezelf terug te vinden'

Thomas D.

3

'Zo Diogenes,' begroet Marc me. 'Heb je je houten napje en lepel ingepakt?'

Hij is echt gekomen. Ik geloofde niet dat zijn euforie zo lang zou aanhouden. Het is nu halfzeven. De eerste vliegtuigen trekken witte condensstrepen door de nog donkerblauwe hemel. De stad moet nog ontwaken.

Mijn bouwkeet is 5.20 meter lang en 2.30 meter breed. Dus Marc overdrijft nogal als hij me vergelijkt met Diogenes. 11,96 Vierkante meter. Net zo groot als een gevangeniscel, zegt Bernard. Geen idee hoe hij dat weet. In elk geval vind ik mijn bouwkeet aardig ruim. Bovendien heeft hij twee deuren, wat ook ongebruikelijk is. Ik heb hem zo neergezet dat het ochtendlicht door de ene deur en het avondlicht door de andere naar binnen schijnt. Zo heb ik 17.000 vierkante meter tuin.

Marcs vader zou in deze tuin een wellnesscentrum bouwen, maar sinds vorig jaar de eerste steen is gelegd, is er niets gebeurd. Door de economische crisis zijn investeerders afgehaakt. Marcs vader denkt dat het nog wel jaren kan duren voordat er een beslissing gaat vallen. Tot die tijd mag ik mijn wagen op zijn grond laten staan en krijg ik nog stroom en stromend water toe. Zo fungeer ik als anti-kraakwacht, vindt hij. Maar dat zegt hij alleen om mijn geweten te sussen. Want geen mens gaat een eerste steen kraken. Verder staat er alleen mijn bouwkeet en enorm veel onkruid.

's Nachts en 's middags om drie uur komt Achmed van de beveiliging langs om te zien of het perceel nog niet is ingepikt. Hij rijdt een BMW 3 serie die ik vanwege het geluid al van verre hoor aankomen en hij is dol op Hit-and-run, mijn kat, die hij altijd aait. Als ze er tenminste is. Hit-and-run is grijs en heeft blauwe ogen. Zoë denkt dat alleen siamezen blauwe ogen hebben, maar ik weet niet of dat wel klopt. Ze is niet gestreept of zo, maar gewoon zilverachtig grijs. Alsof ze een net pak aan heeft. En zo beweegt ze zich ook. Muizen vangen vindt ze eigenlijk beneden haar stand. Maar ja, de geest mag sterk zijn, het vlees is zwak. Stom instinct.

Eigenlijk is ze helemaal niet van mij. Ze liep hier gewoon rond, toen ik hier kwam wonen. Twee weken lang sloop ze om mijn bouwkeet heen, tot ze ineens op een ochtend bij mijn bed stond en eiste dat ze gevoerd zou worden. Ze kan nogal dwingend zijn. En zodra ze dan heeft wat ze wil hebben, gaat ze ervandoor. Vandaar de naam. In feite loop ik haar net zo weinig tegen het lijf als de vos die 's nachts op het terrein patrouilleert.

Terug naar Achmed: alleen door hem laat ze zich af en toe aaien. Niet door mij. Dat is ook geen wonder, zegt Achmed, want alle geile chicks komen op hem af. Hij weet alleen niet dat Hit-and-run een kater is.

Halfzeven is het mooiste tijdstip van de dag in mijn tuin. Als ik de deur naar het oosten toe open, schijnt de zon op mijn bed en komt het stemgeluid van een dozijn vogels mee naar binnen. Nog geen maand geleden stond mijn wagen nog tot aan de wielen in de mist – leek het alsof hij op wolken zweefde. Wat later stond de kersenboom in bloei. De afgelopen week sneeuwde het kersenbloesem en was de grond bezaaid met de fijne blaadjes.

Marcs langgerekte schaduw valt over het bed, kruipt over mijn bed en blijft op de muur erachter staan. Als ik me opricht, bevindt zijn hoofd zich precies tussen dat van mijzelf en de zon. Normaal gesproken heeft hij een bos wilde krullen, nu lijkt het een stralenkrans.

'Ja,' antwoord ik op zijn vraag en wijs op de dokterstas naast mijn bed.

Vijf minuten later draai ik de sleutel om en vraag me af of ik wat vergeten ben. Nee, ben ik niet. Ik voel het gewicht van mijn tas. De snuisterijen die in de bouwkeet achterblijven zijn op een hand te tellen. Toch voelt het alsof ik mijn hele hebben en houwen achterlaat.

Marc wacht met het stellen van zijn vraag tot we de Frankfurter Allee vol spitsverkeer oversteken, met de zon in onze rug. 'Is er iets?'

De fontein in de middenstrook slaapt nog. Tegen de schakelkast even verderop leunt een nachtbraker, kotsend op het strookje gras.

'Ik had graag nog even afscheid genomen van Hit-and-run.'

Toen Achmed de avond ervoor met zijn BMW kwam aanrijden, zat ik nog op het trappetje aan de westkant en keek naar de ondergaande zon, terwijl ik de gebeurtenissen van die avond overdacht. Bij Bernard voor de buis had ik me nog afgevraagd of het nog lang zou duren dat we zo met zijn vieren samen zouden zijn. Toen kwam Marc en stak iedereen met zijn idee aan om samen naar Frankrijk te gaan. En plotseling waren we weer met zijn vieren. Misschien is hij daarom zo'n goeie gitarist, omdat hij de vonk kan laten overspringen. Ik zou dat nooit kunnen.

Achmed kwam om de bouwkeet heen lopen, blikte even naar de nachtelijke hemel en maakte met behulp van de regenton een bierflesje open. Zijn auto stond 30 meter verderop, maar ik hoorde duidelijk hoe Bushido hem verdedigde tegen iedereen die te dichtbij zou komen.

Hij begroette me met: 'Dacht al dat je hier nog zou zitten.'

Hij had twee flesjes bier bij zich. Eentje was er voor mij. Zei hij.

'Ik drink toch niet,' zei ik.

'O ja, da's waar ook.'

Hij dronk. Daarna bestudeerde hij de tekst op het etiket dat in het donker niet te ontcijferen was. "Green Lemon", wat een onzin. Je vraagt je soms gewoon af waarom wij buitenlanders nog Duits moeten leren.' Hij nam nog een slok, voor de zekerheid. 'Smaakt als citroenzeik,' stelde hij vast.

'Waarom drink je het dan?'

Hij haalde een pakje sigaretten tevoorschijn, stak er een op, leunde tegen de wagen en blies zijn rook uit. Deze bleef lang om hen heen hangen, voordat hij vervloog. Zelfs de blaadjes van de kersenboom ritselden deze nacht niet.

Hij grijnsde. 'Smaakt eigenlijk best lekker – citroenzeik.'

Ik vroeg me af waarom hij dat deed, 's nachts om drie uur aan komen rijden, een beetje babbelen en bier drinken en dan weer verdwijnen. Misschien dat hij het zelf niet eens wist. Misschien bestond het beveiligingsbedrijf waarvoor hij zei te werken niet eens. Zou me niets verbazen. Eigenlijk is hij net als Hit-and-run, dacht ik, behalve dan dat hij zelf zijn bier meeneemt.

'Morgenochtend vertrek ik misschien,' zei ik.

'O? Waarheen?'

'Frankrijk.'

'Wat moet je daar nou? Frankrijk is toch afschuwelijk.'

'Zei mijn vader ook altijd.' Maar toch, bedenk ik me, wilde hij tot elke prijs het huis van Hugo hebben.

'En?' vroeg Achmed. 'Wat moet je daar nou?'

'Weet ik nog niet.'

Achmed liet zijn blik weer over het perceel gaan. Het lag er nog steeds; hij had zijn opdracht weer geklaard. Kort daarna wipte hij de tweede kroonkurk eraf.

'Kun jij Hit-and-run voeren als ik weg ben?' vroeg ik.

'Wanneer kom je dan weer terug?'

'Weet ik nog niet.'

Vlakbij floot een vogel. Die zat vast in de kersenboom. Er is er een die de hele nacht door fluit. Die doet niet mee met de concurrentie overdag. Pas alle andere vogels stil zijn, begin hij te kwinkeleren.

Verderop in het gras bewoog iets, maar toen het naderbij kwam, bleek het alleen de vos te zijn die op het kattenvoer afkwam.

'Wat is dat trouwens voor een naam?' vroeg Achmed. 'Hit-and-run.'

'Komt-en-gaat,' zei ik.

Hij leunde tegen de wagen en staarde in de verte. 'Dat is toch geen naam – Komt-en-gaat.'

4

Marcs bus was hiervoor eigendom van een hulporganisatie, bekend als Straight Edges. De onderkant is feloranje, de bovenste helft wit. Op de deur staat het logo van deze organisatie:

STRAIGHT EDGES
Een leven zonder drugs

Het project werd gestaakt toen bleek dat de stichtingsvoorzitter een niet onbelangrijk deel van de subsidiegelden in de vorm van cocaïne door de neus had geconsumeerd. Marc had de bus via een veiling op de kop getikt, inclusief handgeborduurde zitkussens met smileys en zelfgemaakte gordijnen met regenbogen erop. Als hij met zijn band op tournee is, denken velen dat ze een relipopband zijn met de naam Straight Edges – totdat Marc dronken en stoned de bus in duikt met een groupie en de gordijntjes dichtschuift. Hij zegt dat hij nog nooit van zijn leven zoveel plezier heeft gehad van iets als van zijn drugsvrije bus. Bernard vindt dat hij op zijn minst de opdruk kan verwijderen, maar Marc is er heilig van overtuigd dat het opschrift als een soort schild fungeert. In elk geval is hij nog nooit aangehouden voor een blaastest of om te kijken of hij drugs smokkelt, ook al ruikt het kartonnen, eens geparfumeerde dennenboompje aan zijn spiegel inmiddels naar wiet.

Inmiddels heeft de bus zijn beste jaren achter zich. En ook veel van de weinige nog goede jaren… De derde versnelling doet het alleen als je de pook daarin vast blijft duwen, het schuifdak kan niet meer helemaal dicht en de spiegel aan de bijrijderskant zit met gaffertape vast. Tot Frankrijk zal dat geen problemen opleveren, zegt Marc. 'Zolang we genoeg tape mee hebben, kan ons niks gebeuren.'

Zoë ontvangt ons alsof we een stel Jehova's getuigen zijn. 'O, zijn jullie het.'

'Wie had je dan verwacht?' vraagt Marc.

Ze ziet er niet uit alsof ze de komende paar dagen zal doorbrengen in een oude Volkswagenbus, maar eerder als een aantrekkelijke vrouw die heel toevallig een speciale indruk wil maken op een bijzonder iemand: een duur en elegant pakje, witte blouse, bescheiden oorbellen en de haren zorgvuldig over de schouders gedrapeerd.

Zoë's schoonheid heeft iets verhevens, wat ze ook aan heeft. Ze heeft iets in zich waardoor mensen haar direct begrijpen, zonder trouwens te begrijpen waarom. Net als een reeks pentagonale getallen. Als die als in elkaar grijpende vijfhoeken worden verbeeld, snapt iedereen direct hun onderliggende schoonheid, ook al herken je ze op het eerste gezicht niet als zodanig. Daarom vind ik, behalve priemgetallen, ook pentagonale getallen zo mooi. Hun schoonheid is lang niet zo oorverdovend aanwezig als die van vierkantswortels of volkomen getallen.

Wat ik van Zoë het liefste zie, zijn haar niet zo verheven delen. Ze heeft bijvoorbeeld een kant, die ze zelf als zwakte ziet. Die heeft te maken met haar gevoelens en dergelijke. Heel af en toe komt iets daarvan aan de oppervlakte. Het is net zoals met een luchtbel onder de vaste vloerbedekking. Die kun je wel steeds indrukken, maar dan komt het ergens anders weer omhoog. Wat ik aan haar dus het meeste mag, is datgene wat zij het hardst probeert te verbergen.

In Zoë's appartementencomplex komt net de zon binnen schijnen. Het hele trappenhuis staat in lichterlaaie.

Marc laat zijn blik over haar uitmonstering gaan en vervolgens rusten op haar blote benen. 'Slechts één koffer de man,' zegt hij dan. 'En handbagage, niet meer dan vijftien kilo.'

Zoë verplaatst haar gewicht naar een been en leunt tegen de deurpost. 'Luister eens,' zegt ze terwijl ze haar haren over haar schouder strijkt, waardoor ze er net zo glad uitzien als daarvoor. 'Ik … ik kom niet mee.'

Marc wendt zijn blik af van haar hoge hakken, 'Wat is dát nou?'

'Dat ze niet meekomt,' zeg ik.

'Ja,' zegt Zoë. Ze tuurt in de verte over mijn schouder. 'Dat is het wel zo'n beetje.'

'En waarom niet?' vraagt Marc.

Zoë slaat haar armen voor haar borst over elkaar. Als ze ergens niet tegen kan, dan is het wel in de verdediging worden gedreven. 'Omdat ik maandag naar een congres in Chicago ga, sorry.'

Ik kijk op mijn beurt naar haar schoenen en zie hoe ze de voet van haar standbeen iets naar buiten heeft gedraaid. 'Met Ludo?' vraag ik.

Ze haalt haar schouders op en kijkt over haar schouder naar binnen. 'Sorry.'

En plotseling zijn we maar met zijn drieën.

Straks zijn we nog maar met zijn tweeën, denk ik als we onderweg zijn naar Bernard. Toen Zoë zei dat ze meekwam, kon Bernard onmogelijk achterblijven. Maar wat moet hij nou in Frankrijk, als zij in Berlijn is?

Toen Marc gisteren het idee opperde om naar Frankrijk te gaan, was Bernard de eerste die zei dat hij niet meekon – vanwege zijn werk. Al heeft hij de afgelopen twee jaar, die hij nu voor Nanotec werkt, nog geen dag vrij genomen. Eerlijk gezegd krijgt hij het niet over zijn hart zijn moeder alleen te laten. Ze heeft Parkinson. Ze kan al drie jaar niet zelfstandig haar bed uit en sinds een jaar komt ze er helemaal niet meer uit. Ze ligt in een verpleeghuis en Bernard schaamt zich iedere keer als hij er langsrijdt. Bij zijn moeder op bezoek gaan, is voor hem een nederlaag. 'Dat is niet de juiste plek voor haar,' zegt hij dan.

Hij heeft er grif de helft van zijn inkomen voor over om haar AOW'tje aan te vullen zodat ze in dat tehuis kan wonen, maar toch voelt hij zich er schuldig over; alsof hij met geld zijn verantwoordelijkheid afkoopt.

Bernard wilde dus niet meekomen, gisteravond om 22.45 uur. Om 22.46 uur riep Zoë ineens uit: 'Ik ga mee!' Uit de tuin beneden kwam luid voetbalgezang. 'Wat kijken jullie nou?' vroeg ze. 'Ik ga mee.'

'Maar je kan toch niet zomaar vakantie nemen,' verbaasde Bernard zich.

Ze trok een zuinig mondje. 'Waarom eigenlijk niet?' Met die woorden haalde Zoë haar mobieltje tevoorschijn en trok zich terug op het balkon.

'Is er nog bier?' vroeg Marc.

'In de koelkast,' antwoordde Bernard, zonder zijn blik van het balkon af te wenden.

'Nog iemand?'

Geen antwoord.

Twee minuten later kwam Zoë terug. Marc zette net zijn blikje naast de onderzetter.

Ze lachte triomfantelijk. 'Zei toch dat ik mee zou gaan.'

Twee minuten later was ook Bernard om.

'Waar hebben jullie Zoë gelaten?'

In zijn schoenenmortuarium komt Bernard over als een hogepriester.

'Thuis,' antwoordde Marc.

Op Bernards gezicht verscheen een groot, angstig vraagteken.

'Ze vliegt maandag naar een congres in Chicago,' legde Marc uit. 'Future management business constructions, of zoiets.'

Als in Bernards halletje zo'n ouderwets analoog uurwerk zou hebben gehangen, hadden we dat op dit ogenblik luid kunnen horen tikken.

'Met Ludo?' vroeg Bernard

Hij wist het antwoord al. Wij wisten allemaal het antwoord al. Toch zei geen van ons iets. Marc krabde zich het stof uit de haren. Met zijn versleten gympen, jeans en verbleekt T-shirt zag hij eruit als een onopgemaakt bed.

'Je kunt hier achter blijven en de hele zomer je bad vol huilen, of je komt mee naar Frankrijk.'

Bernard duwde peinzend zijn lippen op elkaar, schoof zijn onderkaak heen en weer. Hij keek naar ons alsof hij van ons een antwoord verwachtte.

Uiteindelijk schoot hij zichzelf te hulp. 'Ach, wat zou het ook!'

Hij verdween de slaapkamer in en toen hij daar weer uit tevoorschijn kwam had hij een aluminium rolkoffer bij zich.

5

Wat Marc aan kleding bij zich heeft, past makkelijk in zijn sporttas. Maar voor zijn hele cd-verzameling zijn twee dekenkisten niet eens genoeg.

'Minder meenemen kon gewoon niet,' verantwoordt hij zich tegenover Bernard.

Als we de stad uitrijden en ons op de snelweg naar het zuiden begeven, voel ik voor het eerst een vreemd gevoel van weemoed. Dat is omdat het afscheid op mij nogal definitief overkomt. Marc heeft de stoel van de bijrijder zo afgesteld dat ik met mijn rug tegen de rijrichting zit. Zo zie ik niet wat er op ons afkomt, maar alleen wat al achter ons ligt. Net als mijn grootmoeder, die het alleen maar over vroeger kon hebben. Misschien, mijmer ik, gebeurt dat wel bij iedereen – als je de rijrichting omkeert en je niet meer naar voren kijkt, maar alleen achterom. Een vraag voor als je ouder bent. Of voor nu, als je gewetensvol bent.

Ik zie in elk geval een rookwolk, die duidelijk voortkomt uit de bus. Ook hoor ik een merkwaardig geluid – alsof er iets is wat zichzelf kapot wil maken. Maar het is niet Bernard die dit geluid maakt; het is de uitlaat.

'Geloof je werkelijk dat we met dit brik Frankrijk zullen halen?' vraagt Bernard.

Marc kijkt in de achteruitkijkspiegel. 'Geen enkel probleem.' Hij maakt een wegwerpgebaar, zet koers naar de vluchtstrook en laat de auto daar uitrollen.

Terwijl we wachten tot de uitlaat is afgekoeld, speelt Marc een paar akkoorden op zijn gitaar, maar een passende melodie wil hem niet te binnen schieten.

'Dit hele idee is eigenlijk waanzinnig,' stelt Bernard vast. 'We zijn de stad nog niet eens uit of dit wrak doet het al niet meer.'

'Als je soms een reden zoekt om ermee te kappen,' dient Marc hem van repliek, 'laat je dan vooral niet weerhouden. Maar probeer niet om ons om te praten. Daar trappen we niet in. Als je afhaakt, dan doe je dat maar alleen.'

In plaats van hierop in te gaan, snuift Bernard wat en kijkt uit het raam.

Marc probeert het op een andere manier, hij neuriet eerst de melodie die hij in zijn hoofd heeft en zet er daarna de akkoorden onder. Tijdens dit stadium luister ik het liefste naar zijn spel: als hij wel een idee heeft, maar nog geen song. Als alle elementen er wel al zijn, maar ze nog geen geheel vormen.

'Laat het zo maar,' stelt Bernard voor. 'Het klinkt goed, vind ik.'

Marc neemt zijn vingers van de snaren. Hij kan niet gelijktijdig praten en gitaar spelen. Als hij moet nadenken, helpt het als hij speelt. Als hij moet praten, stoort het. 'Ten eerste,' zo verklaart hij, 'is "goed" niet goed genoeg en ten tweede komt het refrein niet goed naar voren. Daaruit moet licht komen, dat moet een belofte inhouden. Dat alles vraagt de juiste energie.'

Als Marc over muziek spreekt, heeft hij het graag over energie, emoties vertolkt in klanken en alles wat men metafysisch kan noemen. Ik denk wel eens dat getallen voor mij betekenen, wat akkoorden betekenen voor hem.

Bernard kan met allebei niet uit de voeten. Bij getallen ziet hij alleen vectoren en efficiency-quotiënten en bij muziek ziet hij helemaal niets. 'Energie...' Hij laat het woord in het luchtledige hangen. 'Dat heeft toch niets met muziek te maken! Jij altijd met je gezwets over energie en hoe muziek "aanvoelt". Muziek voelt niet. Misschien kun je beter met meer verstand van zaken naar dingen kijken in plaats van steeds mededelen hoe iets voelt.'

Aan Marcs blik kun je zien dat hij Bernard enerzijds een arme drommel en anderzijds een arrogant mannetje vindt. Hij legt zijn gitaar terug in de koffer en stapt uit. 'Wat jij niet begrijpt, Bernard, en vermoedelijk nooit zult begrijpen is dat gevoelens een eigen betekenis hebben.

Hij wacht even tot het duidelijk wordt dat Bernard daar niets tegenin te brengen heeft en verdwijnt dan tot aan zijn middel onder de bus.

'Zei ik toch!' roept hij boven het gedreun van langsdenderende vrachtwagens uit. 'Een fluitje van een cent! Felix, pak even die rol gaffertape uit de bus!'

En zo plakt Marc de knalpijp met gaffertape vast en om het restgeluid te overstemmen, schuift hij, voordat we verder rijden, nog een cd in de cd-speler.

'De nieuwe Cat Power – vet!' verklaart hij.

Het volgende moment bevinden mijn oren zich in de holle ruimte van een bass drum. Zo zit Marc in elkaar: zijn bus hangt aan elkaar met gaffertape, maar voor zijn installatie betaalt hij zich scheel.

Pas als we de stadsgrenzen zijn gepasseerd, wordt me duidelijk dat ik naar een coverversie van *New York, New York* luister. De oorspronkelijke tekst van Sinatra is bijna onherkenbaar en de muziek ook. Toch spreekt er hetzelfde gevoel uit dat mij eerder overviel: afscheid, nieuwe mogelijkheden, je passie volgen. 'I'm leaving today... If I can make it here...'

De snelweg baant zich een weg door een berkenbos. Steeds opnieuw verschijnen de bomen enkele tellen als in een geheime symmetrie keurig in rijen op mijn netvlies, om vlak daarna weer in een onbeschrijfelijke chaos op te gaan. De ochtendzon breekt nu door de bladerkronen en tovert het bos om in een tapijt van geweven licht.

Achttien jaar lang heeft oom Hugo in het huis in Zuid-Frankrijk gewoond en ik heb hem niet eenmaal opgezocht. Ik kan niet uitleggen waarom.

Marc draait zich naar me om. 'Vraag je je nu af wat er in vredesnaam met je gebeurt?'

Intussen zijn het velden die voorbijschieten. Onze blikken kunnen verder kijken. De verte is niet meer dan een verzameling gekleurde punten.

'Misschien,' antwoord ik.

'Een nieuwe dag, een nieuw leven – dat is er met je aan de hand.'

Dus het heeft jou ook overvallen, denk ik. Afscheid, nieuwe mogelijkheden, je passie volgen.

Marc omklemt het stuur alsof het hem ieder moment ontfutseld kan worden. 'Aah! Ik voel me net Odysseus!'

Ik kijk hem aan. 'Ben je bang dat we schipbreuk zullen lijden?'

'Niet als we genoeg gaffertape aan boord hebben!'

'Ik snap het al. Je wilt smoorverliefde godinnen met gebroken harten achterlaten.'

Marc grijnst op die speciale manier waarmee hij elke vrouw zijn bus in krijgt. 'Dat zou cool zijn, of niet?'

'En hoe zit het dan met je vrouw en kind, die thuis trouw op je wachten?' vraag ik me af.

'Shit – ik wist dat er een addertje onder het gras zat.' Hij denkt even na. 'Is Odysseus ooit in Frankrijk geweest?'

'Waarschijnlijk niet,' antwoord ik.

'Had-ie moeten doen. *Du vin, de la femme, de la musique...* wat stom van hem, om Frankrijk over te slaan.'

I'm gonna ride... I'm gonna ride... Intussen droomt Cat Power met zijn eenzame akoestische gitaar ervan op een gestolen paard de toekomst tegemoet te rijden, *the devil close behind.* Rijden, rijden, alsmaar verder, op zoek naar iets, waarvan men pas weet wat het is als men het gevonden heeft. Wat natuurlijk niet gaat gebeuren. Doet er ook niet toe – het gaat natuurlijk om het zoeken, niet om het vinden.

Bij Bernard is van een uitgelaten stemming niets te merken. Het lijkt of hij er immuun voor is, hij zit in zijn eigen cocon op de achterbank en zegt alleen wat als hem iets wordt gevraagd; beweegt zich alleen als het niet anders kan en ziet er daarbij uit als een hond bij een hondenshow.

Als we het zoveelste plaatsnaambord passeren, komt hij plotseling tot leven. 'Magdeburg?' roept hij vanaf de achterbank. 'Waarom rijd je niet over Leipzig? Dit is minstens een uur om!'

'Echt?' Marc grijnst in de achteruitkijkspiegel. 'Tof – dan zijn we zeker een uur langer onderweg.'

6

Van Bernards gezicht kun je aflezen dat hij in gewetensnood verkeert, omdat hij zijn moeder geen dag alleen kan laten. En omdat hij het niet kan verdragen dat Zoë maandag met Ludo per vliegtuig naar Chicago vertrekt. Zoë, voor wie Bernard grote bewondering koestert, maar die zijn hart al jaren met voeten treedt en zichzelf liever ongelukkig maakt. Vanwege Ludo. Die maakt alleen maar misbruik van haar. Ziet haar als een schoothondje dat op commando kunststukjes mag uitvoeren. Maar ja, wat moet ze dan? Ze houdt niet van Bernard. Dat staat vast, als een soort natuurwet. Klote allemaal, echt waar.

Op een gegeven moment wordt het heuvelachtig. De zon bereikt zijn hoogste punt en het licht wordt bijna wit. De lucht die me tot dan toe redelijk dorstig had gemaakt, wordt plotseling kouder. Restjes nacht hangen nog tussen de dennenbomen. Zodra we bergopwaarts moeten, begint de motor te kreunen en de uitlaat klappert zo hard dat het zelfs de Red Hot Chili Peppers niet lukt erbovenuit te komen. Steeds moet Marc terugschakelen naar de tweede versnelling.

Als we een vrachtwagen inhalen die nog langzamer rijdt, duikt er ineens een zwarte sportwagen achter ons op die Bernard meteen identificeert als een Maserati. Hij rijdt zo dicht op ons dat we door de achterruit alleen zijn dak kunnen zien. We zitten nog maar net weer op de rechterbaan of hij schiet ons voorbij en vliegt de afrit naar de benzinepomp schuin voor ons op. De tijd die hij zich met deze manoeuvre bespaart: ongeveer twee tiende seconden.

Als ik vraag waar we zijn, antwoordt Marc: 'De Kasseler Berg – we zijn er bijna.'

En op dat moment wordt me duidelijk waarom hij deze omweg heeft genomen. Ik kijk naar hem. Hij blijft naar de rijbaan kijken vanachter zijn zonnebril. Wel begint hij zacht te grinniken. Ik zeg niets. Wat kan ik ook zeggen? Dat ik hem dankbaar ben? Dat weet hij al. En bovendien wil hij het niet horen.

Vlak na Kassel, de heuvels hebben we inmiddels achter ons gelaten, stuurt Marc af op een onooglijk parkeerterreintje. Hij schakelt terug naar zijn vrij, wacht even tot de bus stilstaat en draait dan het contactsleuteltje om. Stilte. Geen lawaai, geen muziek. Het lijkt alsof we vanuit een schel verlichte ruimte een donkere kamer binnen stappen. Pas later dringt het geluid van het langsrazende verkeer tot me door. Even later ook het gekwetter van vogels.

'We zijn er,' zegt Marc.

Bernard kijkt om zich heen. Wat struikgewas, een paar bomen die het terreintje van de autoweg afschermen, twee banken die te smerig zijn om op te zitten en een betonnen afvalbak. Geen mens te zien, behalve wij.

'Waar?' vraagt hij.

Het was 9 oktober, drie dagen voor mijn achttiende verjaardag. Marc zou met zijn band, de Death Chunks, gaan toeren. Zoals gebruikelijk zou mijn verjaardag bestaan uit: taart, het treurige lachje van mijn moeder en langdurig zwijgen. Mijn laatste schooljaar was net begonnen. Over tien maanden zou ik mijn diploma op zak hebben.

De Death Chunks waren allemaal minstens vijf jaar ouder dan Marc. In hun muziek kwamen agressie en een passie voor de dood samen. Toen ik hem vroeg waarom hij met ze meespeelde, terwijl hij toch eigenlijk van een goede melodie hield, antwoordde hij: 'Soms wil je gewoon even de versterker opblazen.'

Voor hun tournee hadden de Death Chunks een busje gehuurd. Op de dag van het vertrek stond Marc met die bus om kwart voor acht bij mij voor de schooldeur.

Marc leunde rokend tegen de motorkap: 'We hebben nog een plekje over.'

Ik keek alsof ik het in Keulen hoorde donderen. 'Maar ik moet naar school.'

'Ik toch ook.'

'Maar jíj hoeft geen diploma meer te halen. Jij kunt al gitaar spelen.'

'En jij kunt binnen een minuut uitrekenen wat het kwadraat is van 3.256.'

'8.742.658.'

'Quot eratum demonstratie, of zoiets. Echt, man: de leraren krijgen spontaan klotsende oksels als ze jou bespeuren. Gun hun én jezelf een minivakantie.'

Op het schoolplein stonden een paar groepjes. Buiten die groeperingen stonden aan de randen, alsof ze met middelpuntvliedende krachten uiteen waren geslingerd, de eenlingen. Vandaag stond er dus een eenling minder. Toen de bel ging, klonterden de groepjes en eenlingen samen tot een stroom leergierigen die de school binnenging. Ik slingerde mijn tas op de achterbank en stapte in.

'10.601.536,' zei ik.

'Pardon?'

'3.256 in het kwadraat – 10.601.536.'

'Dat andere antwoord klonk ook goed hoor.' Marc startte de auto en knikte naar de school. 'Zeg maar gedag.'

Ik keek naar de grauwe gevel met de te kleine venstertjes. 'Gedag.'

Op mijn verjaardag zouden de Death Chunks in een kleine club in Kassel spelen, waar de muren door het geweld van hun muziek bijna omvergeblazen werden. De dag ervoor hadden ze in Marburg gespeeld, in een nog kleinere club, die ook al moeite had om de stenen op elkaar te houden. Vlak voor Kassel lasten we een pauze in. Tot aan de opbouw van het podium en de soundcheck hadden we nog drie uur. Naast onze bus stak een enorm basaltblok uit het landschap, als een rotte reuzenkies.

Een wandelpad voerde door een klein bos met hoog opgeschoten brandnetels en eindigde bij een spleet in het blok, dat men als opstapje kon gebruiken en waarvandaan men in een paar minuten naar de top kon klauteren. Bovenop was het vooral winderig. Sigarettenpeuken, lege bierflesjes en zelfs een gebruikt condoom gaven er blijk van dat velen voor ons op het idee waren gekomen het blok te beklimmen. Zo zit de mens in elkaar, dacht ik. Geef hem een berg en hij wil hem beklimmen. Niet al te lang geleden had hier iemand zelfs een offerande gemaakt van haar huiswerk Latijn. In een scheur staken vier multomapvellen van Leonie Kapel, klas 4b. Met het gebruikte condoom in gedachte, vroeg ik me af of ze behalve haar Latijnse les ook haar maagdelijkheid had opgeofferd.

Marc en ik gingen op een uitstekend stuk steen zitten, met de blik naar het zuiden en knepen onze ogen toe tegen de middagzon. Akkers, weiden, een dorp tussen de beboste heuvels, bomen en zelfs een spoorlijn – het perfecte Märklin-landschap, maar dan op ware grootte. Ik pakte een van de stukken gelijnd papier van Leonie en vouwde er een vliegtuigje van. Marc stak een sigaret op, legde zijn hoofd in zijn nek en begon te roken als een stoomlocomotief.

‘Wacht even,’ zei hij plotseling, net toen ik het vliegtuig wilde laten vertrekken. Hij bleef naar de hemel staren. ‘Niet zo snel, vriend. Dat is mijn verjaardagscadeau.’

Ik keek naar mijn vliegtuigje en vroeg me verwonderd af hoe dat waar kon zijn.

‘Je hoeft niet zo te kijken, hoor,’ ging Marc verder. ‘Wat jij namelijk niet weet is het volgende: je kunt er een wens in vervoeren. Doe er je wens in en laat hem vliegen.'

'En dan vervul jíj die wens?'

'Precies.'

Maar bij deze wind zou het vliegtuig niet ver komen. Ik schoof een eurocent in de romp en probeerde het in de tegenovergestelde richting, maar ik had hem nog maar net losgelaten, of hij werd door een windvlaag gegrepen en over onze hoofden heen weggewaaid, tot hij begon te tollen en geluidloos in een spleet van de rots terechtkwam.

'Dat stelde weinig voor,' zei ik.

'Maak toch niet uit, man. Je wens was toch aan boord.'

'Klopt.'

'Goed zo. En – wat was het?'

Ik keek naar de parkeerplaats even verderop en vandaaruit naar de velden. Tussen ons en het busje lagen niet meer dan vijftig strekkende meters. Maar toch: vandaaruit kon je niets zien en van hierboven af kon je alles zien. De horizon loste op in het ongewisse. De wind blies de haren op mijn armen omhoog. Maar als je even adem had gehaald in het zonlicht, kon je de warmte van jaren op je huid voelen.

'Ik dacht altijd dat wensen alleen vervuld werden als je ze geheimhoudt.'

'Niet als ík hem moet vervullen. Ik ben toch God niet. En?'

Ik keek hem aan. Hij keek naar mij.

'Voor de dag ermee – het is je achttiende verjaardag.' Marc blies de rook uit, die meteen vervloog. 'Vandaag wordt elke wens vervuld. Maar alleen vandáág. Morgen kun je het wel vergeten.'

Boven de akkers draaiden buizerds hun cirkels. Ze stegen op met behulp van de thermiek. De ideale omstandigheden. Sommige roofvogels konden zo minutenlang blijven zweven, op één vleugelslag.

'Ik wil niet meer terug,' antwoordde ik.

'Hoe bedoel je?'

Een van de buizerds trok zijn vleugels in en stortte zich naar beneden; nog sneller dan mijn papieren vliegtuigje.

'Ik wil niet meer terug naar school en ik wil niet meer terug naar huis.'

Marc nam een laatste trekje van zijn sigaret. 'Is dat je wens?'

'Ja.'

Hij gooide de sigaret over zijn schouder. 'Vervuld.'

Toen we drie dagen later weer in Berlijn terug waren, ging ik meteen mijn spullen pakken. De school heb ik nooit meer van binnen gezien.

'Ik dacht dat we naar Frankrijk gingen,' zegt Bernard. 'Dit hier is… helemaal niets.'

Marc stapt uit en rekt zich uit – oeoeoeaaaah! –, loopt om de bus heen en trekt de schuifdeur open.

'Zie je die berg daar?'

Bernard buigt zich voorover en steekt zijn kop uit de bus. 'Nou, een berg zou ik het niet willen noemen…'

'Dan noem je het hoe je het wilt. In elk geval gaan we hem nu beklimmen.'

In plaats van zijn zinnen te verzetten, hebben de afgelopen uren Bernards pijn nadrukkelijker aanwezig gemaakt. Vijfentachtig kilo liefdesverdriet, schoon aan de haak.

'En wat heeft dat voor nut?' vraagt hij dus.

'Jezus, Bernard!' Marc slaat zich met de vlakke hand tegen het voorhoofd. 'Hoe moet ik dat nou weten? Misschien wel geen – misschien is het wel niet meer dan een groot rotsblok. Maar misschien vind je daarboven wel het antwoord op je vraag.'

'Het antwoord waarop?'

'Op alles. Het zijn. Je weet wel: waartoe zijn wij op deze aarde en waar gaan we hierna naartoe? De hele shit.'

Bernard is nog niet overtuigd. 'Maar als we daar nu op gaan klimmen, dan zijn we straks nóg langer onderweg.'

Dat is het moment waarop Marc zijn geduld verliest. De hele ochtend heeft hij tegen dat lijdzame gezicht in de achteruitkijkspiegel aangekeken. En dat terwijl we op weg zijn naar Frankrijk, waar de zee glinstert, de bomen zo groen zijn dat het pijn doet aan je ogen en de vogels kwetteren dat het een aard heeft. Dit is de druppel.

'Hou ermee op, Bernard,' zegt hij.

'Waarmee?'

'Dat je chagrijnig bent omdat Zoë niet is meegekomen – daar kan ik inkomen. Maar als je tot in Frankrijk toe zo'n gezicht blijft trekken, dan zet ik je nog vóór de Zwitserse grens de bus uit!'

Marc heeft nog nooit langer dan een uur zo gekeken. Daarom duurden de afgelopen uren voor hem een eeuwigheid. Bij Bernard ligt dat anders. Die zou het liefste tot aan het einde der tijden in zijn eigen sop gaarkoken, zichzelf martelen, zoals Jezus. De ultieme liefdesmartelaar.

'Doe toch lekker relaxt, man,' stelt Marc voor. 'We zijn er toch niet voor morgenavond. Als je nu al begint je over elk kwartiertje extra reistijd op te winden, dan wordt deze reis een hel voor je.'

Een uur omrijden, minstens. Om op een klomp basalt te klimmen. Bij wijze van gebaar. Voor mij. Marc geeft niks om die kei. Die geeft sowieso niets om rotsen, laat staan dat hij erop wil klimmen.

Waarom Marc uitgerekend mij tot zijn vriend heeft gekozen? Ik weet het niet. Misschien ben ik voor hem de kleine broer die hij nooit heeft gehad. Maar daarvoor moet je weten dat er wel ooit een is geweest. Negen maanden lang. Tot hun geboorte. Marc kwam als eerste. Daarna kwamen er complicaties. En zijn tweelingbroertje stierf voordat hij een naam kon krijgen. Dan ligt het voor de hand, zou je denken. Klinkt logisch. Maar meer ook niet. De mensen denken al zo veel, al blijken ze aan het eind vaak ongelijk te hebben. Misschien vond Marc gewoon dat ik het juiste slachtoffer was om zijn songs aan te horen. Ik heb het hem weleens gevraagd. Waarom ik? Zijn antwoord: 'Wat lul je nou toch?'

Marc gaat voorop, dan volg ik en daarachteraan komt Bernard. De brandnetels zijn nog net zo hoog als toen. Bernard prikt zich er natuurlijk aan. Alsof ze het op hem hebben voorzien. Bij het rotsblok aangekomen, komt de zwarte steen ons scherp en afwijzend voor en daarbij is hij zo heet dat je je vingers eraan brandt. Hevig zwetend moeten we ons een weg banen naar de top. Lege blikjes en sigarettenpakjes verwelkomen ons, maar geen condooms en Latijnse woordjes.

De lucht is helder, we zien de omgeving als door een vergrootglas. De trekker in de verte lijkt een speelgoedje. Bovendien is het windstil. Het land hijgt en puft, net als Marc. We gaan op dezelfde richel zitten als toen. Het uitzicht is fantastisch, zelfs Bernard is er een paar seconden stil van, tot hij zich weer op zijn eigen leed stort: 'Zul je zien dat ik zometeen een zonnesteek heb.'

We rijden naar Frankrijk, denk ik. We doen het echt. Naar het huis van oom Hugo. Naar míjn huis. Dat ik nog nooit heb gezien. Hij werd gevonden op zijn zeilboot, die op de zee ronddobberde. De notaris vertelde me dat alles wees op een geplande zelfmoord. Kennelijk had oom Hugo botkanker en wilde hij niet lijdzaam wachten op een pijnlijk einde. Hij was zelf internist; hij wist hoe hij dat kon ontlopen.

'Ik heb wat voor je.'

Marc haalt een opgevouwen vel papier tevoorschijn uit zijn kontzak en geeft het aan mij. 120-grams, houtvrij, schat ik in, precies de juiste dikte. Ik heb niet gemerkt dat hij het bij zich had. Waarschijnlijk heeft hij het vanochtend al in zijn zak gestoken.

Ik begin een vliegtuigje te vouwen en ga op zoek naar het

zwaartepunt. Vandaag zou het kunnen – er is alleen zo weinig wind.

'Marc?'

'Hm?'

'Mag ik nog een wens doen?'

'Vergeet het maar.'

Ik vraag me af uit welke richting de wind komt, maar het is overduidelijk. Er is geen zuchtje wind. Dus laat ik het vliegtuigje naar het zuidwesten vliegen, naar Frankrijk, naar de zee. We kijken het allemaal na, Bernard, Marc en ik. Het glijdt er in een rechte lijn vandoor, zonder zelfs maar iets af te buigen.

'Dankjewel.' Nu heb ik het toch gezegd.

'Ik weet niet wat je bedoelt,' antwoordt Marc.

Na een paar meter komt het vliegtuig uit de luwte van de berg en wordt het meegenomen door een windvlaag, waardoor het met een ruime bocht naar rechts afbuigt, richting parkeerplaats.

'Jawel,' zeg ik. 'Dat weet je best.'

'Houd toch je kop.'

Het vliegtuigje komt in een wervelwind terecht waardoor het weer naar de berg wordt geblazen, maar voordat het tot een botsing komt, neemt een plotselinge vlaag het weer mee en leidt het om de berg waardoor het uit ons blikveld verdwijnt. Onder ons kruipt een zwarte sportauto als een insect de parkeerplaats op en parkeert uit het zicht onder wat bomen. Het lijkt de Maserati wel die ons passeerde op weg naar de benzinepomp.

'Last van zijn prostaat,' vermoedt Marc. 'Daarom moet hij er elke tien minuten uit. Nog een gelukje dat hij een snelle auto heeft.'

'Zullen we?' vraagt Bernard.

Als we de afdaling hebben gehad en ons bij het bosje, waar het lekker schaduwrijk is, door de brandnetels worstelen, vraagt Marc: 'Bernard? Hoe was het?'

Bernard wrijft over zijn benen: 'Ik heb nog geen antwoord kunnen ontdekken.'

'Dat krijg je ook niet aangereikt op een presenteerblaadje.'

Dan hebben we het bosje verlaten en zijn op het grasveldje naast de parkeerplaats aanbeland, waar we net kunnen zien hoe de deur aan de bijrijderskant van de Maserati wordt geopend; of eigenlijk: wordt opengetrapt. Er vliegt een tas de parkeerplaats op, gevolgd door een vrouw – ze springt echt uit het voertuig, waarna ze in de deuropening blijft staan en met haar achterwerk de deur openhoudt, terwijl een hand deze van binnenuit probeert dicht te trekken.

'Geef me mijn rugzak terug, klootzak!' schreeuwt de vrouw en wij drieën blijven staan, midden op het gras, naast de betonnen afvalcontainer.

Er volgt een machtsstrijd, waarbij de hand trekt en zij zich daartegen verzet. De Maserati is gloednieuw; er is niet eens één vliegenpoepje op de voorruit te zien.

'Mijn rugzak, zei ik!'

De hand trekt zich terug en kort daarop stuitert er een rugzak uit de auto en valt voorover op het asfalt. De vrouw stapt bij de deur weg en de hand trekt deze dicht. Een tel later rijdt de Maserati haar bijna over de voeten.

'Ammehoela met je amore!' roept ze hem na.

Dan is hij weg.

De vrouw richt zich op, schikt haar rok, die kennelijk niet op de juiste plek zat, en haar... hoe het ook heet.

'Tank-top,' zeg Marc zacht.

Alles aan haar is strak, vooral die tank-top. Die kan elk moment losschieten. Ze strijkt wat blonde krullen uit haar gezicht en draait zich naar ons om. Ik zweer dat je ons op dat moment alle drie kon horen slikken.

'Wist niet dat Scarlett Johansson wel eens liftte,' fluistert Marc.

Ze kijkt naar ons alsof ze ons wil aanvallen.

'Hoe weet je nou dat ze aan het liften is?' vraagt Bernard.

Ze grijpt haar tas beet en werpt haar rugzak, die ze amper houden kan, over een schouder en sleept haar bagage onze kant uit, tot ze deze kan laten vallen op het gras en zelf kan neerploffen op een bankje. We blijven stokstijf staan.

Na een tijdje legt ze haar arm over de leuning en draait zich naar ons om. 'Wat nou?'

Dat weten wij klaarblijkelijk ook niet. In elk geval trekken we onze mond niet open.

Na een heel lange tijd vraagt Bernard 'Wie was dat?'

De vrouw draait haar hoofd woest terug en begint te mompelen. 'Hou je mond!'

We schuifelen ongemakkelijk wat heen en weer en Bernard herhaalt zijn vraag, 'Wie was dat nou? Had je een lift van hem gekregen?'

'Bedoel je van die zakkenwasser?' vraagt ze. 'Hij heet Franco. Hij wilde me meenemen.'

'Zie je wel,' zegt Bernard tegen Marc. 'Ik zei het toch dat het geen liftster was.'

Maar Marc kan zijn blik niet van haar afhouden. 'Waar gingen jullie naartoe?'

Ze draait zich weer om, zodat we haar tank-top beter kunnen bewonderen en zij haar nek niet hoeft te verdraaien. 'Naar Genève, naar mijn zus.'

'Maar zonder je amore,' zegt Marc.

Scarlett klemt haar volle lippen samen tot twee smalle streepjes. 'In elk geval niet met Franco.'

'En waarom niet dan?' Bernard klinkt alsof vrouwen zich gelukkig mogen prijzen als mannen hen wel zien zitten. Zo ziet hij het paradijs: vrouwen die hem dankbaar zijn omdat hij ze amore biedt.

‘Meen je dat serieus?’ vraagt ze.

Bernard haalt zijn schouders op. ‘Ja, waarom niet?’

‘Hoe heet je eigenlijk?’ wil Marc weten.

Ze schermt haar ogen af met haar hand. ‘Lilith. En jullie?’

‘Marc.’

‘Bernard.’

‘Felix.’

‘Nou, Bernard, let op: ruwweg gezien zijn er wel een miljoen redenen waarom ik nooit meer bij Franco in zijn auto stap. Eén daarvan – en misschien wel de belangrijkste – is: ik houd niet van mannen.’

Marc, Bernard en ik kijken alsof ons laatste oortje is versnoept.

‘Waarvan dan wel?’ vraagt Bernard.

‘Stofzuigers,’ antwoordt Marc en voordat Bernard daarop kan reageren: ‘Jij snapt ook werkelijk niets.’

‘Ze valt op vrouwen,’ leg ik hem uit.

Lilith wacht even tot deze informatie tot hem is doorgedrongen, draait haar gezicht weer naar de zon, grijpt naar haar voorhoofd en zegt: ‘Shit.’

‘Wat?’ wil Bernard weten.

‘Mijn zonnebril is nu op weg naar Rome. En bovendien is deze bank verschrikkelijk smerig.’

‘O, trouwens,’ zegt Bernard, ‘wij rijden toch langs Genève.’

Vanaf dat moment rijd ik. Vroeg me sowieso al af wanneer Marc mij de sleutel zou overhandigen. Hij houdt niet zo van autorijden. Dat komt door zijn voet. Hij is ooit gewond geraakt in zijn kuit. Door een kogel. Sindsdien zwabbert hij een beetje met zijn rechterbeen. Bovendien kan hij wat minder overweg met zijn fijne motoriek, zodat hij op het podium wel eens vreemd trekkebeent en achter het stuur abrupt remt.

Voor het eerst tijdens deze reis, rijd ik de goede kant op en kan ik zien wat er op ons afkomt: licht en weidse vertes en verandering. Marc is nog steeds aan het stoeien met zijn muzikale idee van die ochtend. Als hij dat niet snel te pakken krijgt, dan zal het hem voor altijd ontglippen. Hij zit naast Bernard op de achterbank, met de gitaar op zijn bovenbeen en probeert zijn fantasie te beteugelen, zonder deze voorgoed te temmen. Bernard weet zich moeilijk een houding te geven. Lilith zit naast mij, met haar rug naar de rijrichting en zit hen beiden te bestuderen. De zon schijnt via het dakraam schuin in haar decolleté.

Op een gegeven moment zegt ze snuivend: 'Jullie lijken wel een komisch trio.'

Marc tilt zijn hoofd op, laat het laatste akkoord uitklinken en kijkt haar aan. Ook Bernard richt zijn blik op haar. En omdat er verder niemand iets zegt, vraag ik 'Wat is er eigenlijk gebeurd?'

Ze snuift weer. 'Heeft een van jullie een sigaret voor mij?'

Ze vangt het pakje op dat Marc haar toewerpt en schudt er een peuk uit.

'Ik ben eigenlijk gestopt,' zegt ze en ze neemt een diepe haal, alsof het besluit om te stoppen het domste was wat ze ooit heeft gedaan.

'Ook eentje?' Ze houdt me het pakje voor.

Ik trek een nee-dank-jegezicht.

'Rook jij niet?'

Ik schud mijn hoofd.

Lilith neemt nog een trekje en leunt behaaglijk achterover. 'Heerlijk,' stelt ze vast.

'Waarom ben je weer begonnen?' vraag ik.

Ze bestudeert de sigaret tussen haar vingers. 'Hoezo denk je dat ik weer begonnen ben?'

'Ach, ik had zo'n idee.'

Ze staart uit het raam. Rechts trekt Alsfeld aan ons voorbij – een pittoresk stadje met vriendelijke inwoners en een enig torentje. Elk jaar komt tijdens de advent het koor tezamen op de toren en verkondigt vandaaruit de blijde boodschap. Als het stadje achter een heuvel is verdwenen, drukt Lilith haar sigaret uit, gaat schrijlings op haar stoel zitten, trekt haar knieën omhoog en leunt tegen het raam. Haar rood gelakte teennagels glinsteren in de zon.

Ze kijk me aan. 'Oké.'

7

Lilith is dit semester gestopt met studeren. Eigenlijk studeert ze geobotanie in Hannover zoals ze eigenlijk ook gestopt is met roken. Geen idee of ze nog verder wil. Met studeren en met roken. Indien ja, dan niet in Hannover. Eigenlijk wilde ze daar helemaal niet naartoe. Wie studeert er nou in Hannover? Een stad die net zo spannend is als een rijtjeshuis.

Lilith kwam er twee jaar geleden aan. Ze had na haar eindexamen de wereld rondgereisd, kiwi's geplukt in Nieuw-Zeeland en druiven in Chili, had hier en daar een hart gebroken, waaronder dat van haarzelf. Ze had in Australië voor het eerst gesurft en met een Amerikaanse vriendin, Megan, tot 7.300 meter hoog geklommen in de Himalaya, zonder zuurstof. Er was daarboven nog ruimte zat. Maar op een zeker moment schreef ze zich in voor de studie en werd ingeloot in de grootste opeenhoping van rijtjeshuizen.

'Hannover,' knikte Bernard.

'Zo scherp als een mes, die jongen.'

Lilith vond het vanaf het begin maar zozo. Tot de eerste collegereeks begon: Inleiding in de ecologie van gewassen, de prof betrad het katheder en Lilith viel van haar collegestoel.

Drie dagen later kwam Laura, zo heette de prof, zich met een vriendin ontspannen in de bar waar Lilith werkte. Lilith had de glazen bijna náást de tafel neergezet. De volgende avond kwam Laura weer. Zonder vriendin. En ze vertrok met Lilith. Ze was 38, twaalf jaar ouder dan Lilith, maar dat maakte niet uit. Ze belichaamde alle passie die Lilith ooit gevoeld had. Ze was mooi, ze was slim, ze had temperament. En ja, ze was ook gevoelig, en in bed… shit, daar durf ik niet eens aan te denken. Lilith hoefde in elk geval nergens nog van te dromen.

Na hun eerste gemeenschappelijke nacht werd Lilith wakker in Laura's bed, terwijl Laura in haar ochtendjas voor het raam stond. De zon scheen door een kier tussen de gordijnen. Laura werd als een goddelijke verschijning omgeven door een krans van licht. Lilith voelde zich *on top of the world*. Daar waren die 7.300 meter niks bij.

'Ik heb nog nooit wat gehad met een studente,' verklaarde Laura verontschuldigend. Kennelijk zocht ze vergiffenis voor haar schanddaad.

Maar Lilith had wel wat anders aan haar hoofd. 'En ik nog nooit met een professor,' antwoordde ze. 'En doe nu die gordijnen weer dicht en kom naar bed. Ik durf het wel aan.'

Drie semesters lang geloofde Lilith in het sprookje. Oké, de geheimzinnigdoenerij begon haar op het laatst parten te spelen. Wat in het begin nog spannend was – oei, een verboden liefde – werd later stomvervelend. Op de universiteit mocht niemand ervan weten. Ook al wierp de potteuze bibliothecaresse hen na twee maanden al veelbetekenende blikken toe. Toch wilde Laura tot elke prijs 'de schijn ophouden' – iets waar Lilith echt maling aan had. Als ze uit wilden, naar de bios of het theater, of gewoon als ze een kopje koffie wilden drinken, dan moesten ze een halve wereldreis maken. En dan nog was Laura de hele tijd bang dat iemand hen zou 'ontdekken'. Desalniettemin was alles het waard; Lilith twijfelde geen moment aan hun liefde.

Tot vorige week. Toen wilde ze Laura verrassen met kaarten voor een tentoonstelling in Berlijn. De verrassing pakte iets anders uit: Laura werd niet verrast met de kaarten, maar Lilith verraste haar met de decaan.

Ze wilde namelijk kinderen, zo verklaarde Laura, voor het te laat was. Dus deed ze het gewoon. Met de decaan. Die was al heel lang van zijn vrouw gescheiden.

'Ik dacht dat je lesbisch was,' zei Lilith, 'en dat je van me hield.'
'Ik wil kinderen, Lilith.'

Marc zat met zijn gitaar nog steeds in een soort niemandsland. Hij had drie akkoorden bij elkaar gesprokkeld, die ieder voor zich naar niets klonken, maar pas als ze na elkaar gespeeld werden wat gingen betekenen. Alleen had Marc geen idee in welke volgorde.

'En hoe zit het nu met die Franco?' wilde Bernard weten.

'Jij weet ook niet van ophouden.'

Na het debacle met Laura besloot Lilith op stel en sprong te stoppen met dit semester en naar haar zus te gaan om er even helemaal uit te zijn en daar eens even flink bij te komen. En hier kwam Franco in het spel. Toen Lilith aan een kennis vertelde dat ze naar Genève wilde, bood diens vriend – Franco – haar meteen een lift aan. Hij reed toch naar zijn ouders in Rome. Lilith had er al geen goed gevoel over. In haar beleving waren alle Italianen macho's. Uitzonderingen daargelaten natuurlijk, al was ze die nog niet tegengekomen.

'Tja, en al is een macho nog zo oud, ze willen allemaal graag naar mama's pappot; vandaar dat hij die kant op ging.'

'Dat is wel heel generaliserend,' wierp Bernard, die graag een tikkeltje Italiaanser zou zijn, tegen.

Lilith speelde met haar sigaret. 'Kan ik er wat aan doen?'

In elk geval bood Franco haar aan onderweg naar Rome te stoppen bij haar zus in Genève. Ze waren nog maar net vertrokken, of hij legde zijn hand al op haar dij. En even later knapte hij dus bijna uit zijn broek.

'Nog geen twee uur kon hij zich inhouden; toen wilde hij al "amore". Die vriendin had hem verteld dat ik lesbisch ben en bovendien piercings in mijn tepels heb – dat kon hij niet klakkeloos aannemen...'

8

Bernard wordt ineens wakker. 'Hoezo weet jouw vriendin dat jij piercings hebt?'

'Het is niet míjn vriendin, maar de zijne,' antwoordt Lilith. 'Ik kende haar alleen maar van de sportschool.'

Bernard blijft volhouden. 'Maar hoe weet ze dat dan?'

Lilith werpt Bernard een veelzeggende blik toe. 'Wij hadden de gewoonte na het sporten te douchen. Gek hè?'

Ineens is het zeer stil in de bus. Alleen de motor bromt er lustig op los.

Marc zit met de gitaar op zijn schoot zonder hem te bespelen. Lilith steekt tevreden nog een sigaret op.

'Ik geloof het niet,' zegt Bernard. Als altijd is hij ook nu wantrouwig. Dat is gewoon zijn grondhouding. Al het andere is extra, tegen meerprijs.

Marc legt zijn gitaar weg en begint een joint te bouwen. Ach, dan is zijn tune maar vervlogen. Je kunt niet alles eeuwig vasthouden; daarvoor is het leven te kort.

'Jij gelooft niet dat ik gepiercete tepels heb?'

'Ik geloof niet dat jij lesbisch bent.'

'O nee? En waarom dan wel niet?'

'Voor een lesbo zie je er veel te goed uit.'

Lilith werpt haar sigaret door het schuifdak en steekt haar hand naar Marcs joint uit, voordat hij er eens een goede hijs van kan nemen. 'Mag ik even?' Ze inhaleert diep, houdt de rook goed lang in haar longen en blijft Bernard strak aankijken. Als ze de rook eindelijk uitademt en Marc de joint teruggeeft zegt ze tegen Bernard: 'In welke eeuw leef jij eigenlijk?'

Bernard taxeert haar met peinzende blik. Dan brengt hij zijn hand naar zijn kin en tikt er met zijn wijsvinger tegen. 'Jij bent...', de wijsvinger priemt in haar borstkas '...geen lesbienne. Dat zeg je alleen maar om niet lastiggevallen te worden.'

Lilith leunt achterover en lacht. Haar gezicht klaart op in het zonlicht. 'Goed spul,' zegt ze tegen Marc.

Voor we bij Frankfurt zijn slaapt iedereen, behalve ik. Dat vind ik niet erg. Het is een beetje als 'over de kudde waken' of zo. Lilith heeft haar hoofd naar mij toe gedraaid. Ze ziet er ineens heel gelukkig en lief uit. Alsof ze weer verliefd is. Als ze nu haar ogen zou opendoen, zou ik de eerste zijn die ze zou zien. Bernard heeft niet alleen zijn hoofd scheef, maar ook zijn lichaam ligt in een vreemde bocht. Marc daarentegen heeft alleen zijn ogen gesloten, zo lijkt het.

We rijden langs een vliegveld. Grote viermotorige vliegtuigen met een spanwijdte van 65 meter steken al dalend de snelweg over om zich, er vlak achter, met veel geraas op de grond te zetten. De lucht zit vol vliegtuigen. Door het schuifdak zie je de een na de ander witte banen door de blauwe lucht trekken.

Als ik een afrit neem om te tanken, slaat Lilith haar ogen op. 'Tof,' zegt ze. 'Ik sterf van de honger. Bovendien moet ik heel nodig naar de plee.'

Terwijl ik sta te wachten tot er een pomp vrij is, stapt ze al uit de bus. Met de deur in haar hand staat ze me nog even aan te kijken. 'Je ziet er ontzettend moe uit.'

'Heb niet zoveel geslapen,' zeg ik.

Ze kijkt peinzend. 'Je slaapt zeker vaak slecht?'

We zijn aan de beurt voor de pomp. 'Hoe kom je daarbij?'

'Je ziet eruit als iemand die weinig slaapt,' zegt ze, alsof dat heel vanzelfsprekend is.

'Dat klopt wel een beetje,' geef ik toe.

'Bedoel je daarmee dat je altijd moe bent?'

'Vaak wel.'

Lilith kijkt naar de achterbank. Marc en Bernard roeren zich niet. 'Bakje koffie dan maar?'

'Niet nodig, dank je.'

'Hoezo? Drink je dat niet?'

Kennelijk is Lilith iemand die zelden genoegen neemt met een antwoord. 'Jawel hoor,' zeg ik. 'Maar ik kan ook zonder.'

Ik tank, betaal en wil net de motor weer starten, als Lilith weer naar de bus loopt. Ik weet niet hoe ze het voor elkaar krijgt, maar ze beweegt zich voort – ondanks de flessen onder haar armen en broodjes in haar handen. Er kan zelfs een lachje vanaf, ondanks het bekertje dat ze tussen haar tanden klemt. Ik schuif de deur voor haar open.

'Hier.' Ze reikt me haar waren aan – waaronder een gekoelde latte macchiato met schroefdop. 'Lekkere shit.'

'Ik zei toch dat ik wel zonder koffie kon,' zeg ik.

'Maar een iced coffee is toch heel wat anders.'

Lilith verklaart dat het voedsel voor iedereen bestemd is, maar Marc en Bernard maken geen aanstalten te ontwaken en zo zie ik achter elkaar drie belegde broodjes en een appelkoek in haar mond verdwijnen. Als toetje neemt ze een van Marcs sigaretten.

'Waar gaan jullie eigenlijk heen?'

'Naar La Ciotat.'

'Waar ligt dat nou weer?'

'Weet ik ook niet precies,' vertel ik.

En dan vertel ik haar over het huis en dat ik het niet weet omdat ik oom Hugo daar nooit heb opgezocht. Dat hij gewoon uit mijn leven is verdwenen.

Als ik met mijn verhaal klaar ben, is ook mijn beker leeg. 'Bedankt voor de koffie,' zeg ik.

We rijden stapvoets over de versmalde rijbanen, vanwege wegwerkzaamheden, vlak onder Darmstadt. Lilith draait het venster naar beneden. Haar haren beginnen te dansen.

'Dank je voor de lift,' zegt ze.

'Het is mijn busje niet.'

'Maar wel jouw reisje.'

Ik laat het antwoord even bezinken, voordat ik zeg: 'Jij hebt zeker altijd het laatste woord?'

'Klopt.'

9

Als we voorbij Mannheim zijn, schrikt Marc uit zijn slaap op. In zijn droom is de oplossing voor zijn idee tot hem gekomen.

'Ik heb het!' roept hij en hij grijpt naar zijn gitaar. Na een paar minuten heeft hij al een reeks akkoorden aan elkaar geplakt, zodat het eindelijk een lied wordt, met een nieuw begin.

'Wauw!' Lilith is onder de indruk als duidelijk wordt dat Marc niet het amateurtje is waarvoor ze hem had versleten, maar er werkelijk wat van kan. 'Dat klinkt vet! Net zo'n stuk van Ben Harper... *Morning, yearning.*'

Marc houdt er acuut mee op, ook al heeft hij net de juiste picking gevonden. 'Dat is het probleem nou juist,' antwoordt hij. 'Alles klinkt net als iets wat al bestaat.'

'Maar Ben Harper is toch gewoon vet!'

'Tuurlijk. Maar ik ben Ben Harper niet.'

'Het zou beter zijn als je klinkt als Ben Harper, dan dat je met veel pijn en moeite iets maakt alleen omdat het nog niet bestaat.'

Terwijl Marc daarover nadenkt, tasten zijn vingers zoekend over de snaren. 'Het zou nog beter zijn iets te maken wat je wel bekend voorkomt, maar wat nog niet bestaat.' Hij tokkelt een nieuw akkoord dat hem tijdens het praten te binnen is geschoten. 'Fis mineur met een klein septiemakkoord,' stelt hij vast en hij krabt aan zijn hoofd. Onze blikken treffen elkaar in de achteruitkijkspiegel. 'Hoe vind je dat?'

Ik probeer me op de klank te concentreren. Marc tokkelt er op los. Het begint ergens op te lijken, maar het is er nog niet. 'Mooi,' zeg ik. 'Als een zonsopgang in de mist.'

Marc schudt zijn hoofd. 'Tja, mooi is het wel. Maar niet zoals ik het hebben wil. Met de muziek is het net... net als het leven, man: het heeft alleen zin als het daar is waar het hoort. En dit fis mineur septiemakkoord hoort echt ergens anders.' Hij draait aan de knoppen en trekt nog maar eens aan de snaren. 'En ik dacht echt dat ik het had.'

In een bos bij Freiburg pauzeren we voor de laatste keer die dag. De lucht is bezwangerd met voorjaarsgeuren. Alles lijkt zich vol te zuigen, met kleur, met leven. Het is het grote genieten voordat de zomer komt en alles uitdroogt.

Lilith staat wat verderop met haar mobieltje aan haar oor. Laura, denk ik; ze belt met haar professor. Ik zie de hoop in haar gezicht, ze ontbloot haar tanden en dan is me duidelijk dat ze teruggaat. Bij het volgende tankstation laat ze zich vast door ons afzetten om naar huis te gaan.

Maar ze loopt op ons af en kijkt me onderzoekend aan: 'Heb je ergens pijn of zo?'

'Met wie belde je daarnet?' vraag ik, strenger dan mijn bedoeling is.

'Met mijn zus. Jullie kunnen ook bij haar overnachten. Cool, toch?'

Bernard doet dat wat hij altijd doet als we ergens stoppen. Zich optrekken. Bij voorkeur aan een klimrek. Hij vindt roken in de bus vreselijk; stukje bij beetje vreet het gif zich bij hem naar binnen. Dus gaat hij, als het even kan, zich vreselijk uitsloven door te rennen of zich op te drukken. Vijftig keer achter elkaar opdrukken, dan nog eens vijftig, en nog eens.

Daarna loopt hij ook een eindje bij ons vandaan met zijn mobieltje aan zijn oor. Ik weet waar hij naartoe belt, naar het verpleeghuis. Hij wil weten hoe het met zijn moeder gaat en of ze hem vandaag gemist heeft. Maar met zijn moeder gaat het net als gisteren of eergisteren en alle voorgaande dagen. En of ze hem gemist heeft? Ach, meneer Niemeijer, wie kan dat nou zeggen?

Bernard staat op een plekje in de zon in het gras. Ik zie zijn gezicht betrekken. Hij zou dolgraag met haar praten, haar alles uitleggen, haar deelgenoot maken van zijn leven. Maar zij kan geen antwoord geven. Haar hart klopt nog, maar meer ook niet.

'Wat heeft hij nou?' Lilith staat naast me. We delen samen een plekje in de zon.

'Zorgen.'

'Kunnen we daar niets aan doen?'

'Kun jij Parkinson genezen?'

Zij kijkt me aan. 'Heel grappig.'

'Dan niet.'

Het wordt stil in de bus. Marc heeft zijn song nog steeds niet gevonden, Bernard zit met zijn moeder, Lilith blikt door de achterruit naar de verbrande schepen die ze achterlaat. Ook de dag komt langzaamaan tot rust. De dieren keren terug naar hun holletjes en nesten, insecten zoeken het kreupelhout weer op en de bloemen sluiten zich weer.

In de verte kondigen de bergen zich aan, échte bergen welteverstaan – titanen van steen, die scherp afsteken tegen het schemerlicht. Even later omringen ze ons zelfs, de uitlaat klappert en ik doe mijn best de pook in de derde versnelling te houden. En dan strekt zich, onverwacht en groter dan mijn blikveld is, onverwacht het meer voor ons uit. Spiegelglad en bijna inktzwart. Veel van de titanen zakken tot aan hun heupen in het water en worden omsluierd door slierten nevel die oplossen in de schemering.

'En?' vraagt Lilith. 'Heb ik iets te veel gezegd?'

'Top,' zegt Marc.

Bernard zegt niets. Hij wou dat zijn moeder dit ook kon zien en minutenlang kijken we zwijgend naar het meer.

Voorbij Lausanne laat Lilith me een afrit nemen en dirigeert me naar een weg die langs het meer voert. Iedere keer als we de bocht om gaan en het meer weer zien, zie je aan de overkant de lichtjes schijnen. De laatste boten varen in het schemerduister met gestreken zeilen naar hun ligplaatsen.

Het is niet veel wat ik over oom Hugo's leven weet. Het afgelopen jaar heeft hij zijn praktijk aan een collega verkocht. Hij had een boot, had geen kinderen en was ongehuwd. Ik vraag me af of hij tevreden was met zijn leven. Of het liep zoals hij wilde. Of hij tot op het laatste moment vooruitgekeken heeft of zich op een zeker moment heeft omgedraaid en alleen nog maar zag wat er achter hem lag.

10

Er moet een tijd zijn geweest dat Andrea er net zo goed uitzag als haar jongere zus – voor haar trouwen en voor de kinderen. Maar aantrekkelijk is ze nog altijd, al is het op een andere manier: een tragische. Op de gang hangen ingelijste foto's van betere tijden: toen Lilith en zij nog lichtjes in hun ogen hadden. Intussen zijn die verdwenen en hebben zich groeven om haar mond getekend.

De vreugde over het weerzien met haar zus is overweldigend. Het liefste wil ze Lilith niet loslaten. Patrick, de jongste, slaapt al, maar Nicolas, die vier is en al groot, is nog wakker en wilde per se opblijven voor zijn tante. En nu hangt hij aan haar been, zoals Andrea om haar nek hangt.

'Zo, nou is het wel even genoeg,' zegt Lilith, ze maakt zich los uit Andrea's omhelzing en neemt Nicolas op haar arm.

'Lilu!' roept deze en verstopt zijn hoofd tegen haar schouder. 'Tante Lilu!'

'Klaus!' roept Andrea. 'Lilith en haar vrienden zijn er!'

Het is niet meteen duidelijk waarom het zo is, maar als de deur aan het einde van de gang opengaat en Klaus binnenkomt, staat alles heel even stil. Toch ziet Klaus er op het eerste gezicht net zo onspectaculair uit als zijn naam doet vermoeden. Hij is van gemiddelde grootte, gaat richting de vijftig en zijn haar begint al te grijzen. Tussen zijn duim en wijsvinger bungelt een leesbril. Hij behoort kennelijk tot die mensen die, als ze van hun werk thuiskomen, wel hun jasje uitdoen, maar de rest van het pak aanlaten, inclusief das.

Met vermoeide blik neemt hij ons op. 'Goedenavond.'

Daarna begint het leven weer. Nicolas springt uit Liliths armen en loopt naar zijn vader. 'Tante Lilu!' roept hij en hij grijpt zijn vader bij zijn broekspijp.

'Dat zie ik,' zegt Klaus en hij knikt naar Lilith. 'Nou, dan kunnen we eindelijk eten.'

In de eetkamer wacht ons al een gedekte tafel, maar eerst brengen we onze spullen naar de logeerkamer. Daar staat een tweepersoonsbed en er liggen twee matjes op de vloer, die bestaat uit witte plavuizen, van dertig bij dertig, die diagonaal gelegd zijn en met grijs gevoegd. Dat is gewoon het makkelijkste om schoon te houden. De rest van het huis ziet er uit als een IKEA-showroom, die er vooral niet als een IKEA-showroom uit moet zien.

Toen Lilith haar onderweg had opgebeld, om te vertellen dat er drie gasten mee zouden komen, is Andrea nog een keer boodschappen gaan doen. We eten kalfsschnitzels en krijgen een glas rode wijn, die Klaus met een weemoedige blik op het etiket heeft ontkurkt. Nicolas is moe en over zijn toeren en wil het liefst de hele avond op de schoot van zijn tante zitten. Twee keer zegt hij vragend 'Papa?' en krijgt het antwoord 'Nu niet.' Hij mag Lilith laten zien dat hij al kan schrijven, op zijn vierde, en wil de woorden MAMA en PAPA en NICOLAS en LILU opschrijven.

Hij verlaat de kamer, zoekt een pen, maar kan geen papier vinden en komt weer binnen. Hij loopt op Klaus af en vraag, 'Papa, waar...'

'Nu niet, zei ik toch!'

Zo zwijgzaam als Klaus is, zo mededeelzaam is Andrea. Er is geen speld tussen te krijgen. Ze praat over de kinderen, het nieuwe huis, de werkmannen, de scholen waar Nicolas volgend jaar eventueel naartoe kan gaan, over opa en oma, de dagelijkse zorgen en natuurlijk over Klaus, die het zó druk heeft, nu veel meer dan eerst omdat 'het project' in de laatste fase is gekomen, hè Klaus?

Klaus kijkt op, alsof hij wil zeggen: Nu niet.

Hij werkt bij CERN en 'het project' waaraan hij werkt is de nieuwe deeltjesversneller, die, na jarenlange voorbereidende arbeid, eindelijk bijna bedrijfsklaar is. Als Bernard vraagt wat Klaus daar precies doet, antwoordt Andrea: 'Dat moet Klaus maar uitleggen, dat gaat me boven de pet ben ik bang. Klaus?'

Klaus kijkt op. 'Hm?'

'We vroegen ons af wat u daar precies doet – bij die snelweg voor kleine deeltjes,' zegt Marc.

'O.' Klaus vleit zijn vingertoppen tegen elkaar. Zijn belangstelling voor ons is, daar zijn we inmiddels wel achter, net zo groot als Marcs belangstelling voor vierkantswortels. Maar het is niet persoonlijk bedoeld, hij houdt gewoon meer van rust. 'Dat is uiterst complex. Net als alles daar...'

'Probeer het gewoon,' zegt Lilith en ze werpt een schuine blik naar haar zuster. 'Misschien zijn we toch niet zo dom als we eruitzien.'

Ze heeft een vel papier gevonden voor Nicolas. Die zit weer op haar schoot en is in opperste concentratie bezig met zijn blokletters. Dat is natuurlijk keihard werken voor een kleuter, maar hij vindt het geweldig om te doen.

'Ik begrijp er vast niks van,' zegt Marc met volle mond en wijst met zijn mes mijn kant op. 'Maar híj snapt het zeker. Felix is een genie.'

Klaus' mondhoeken trekken een beetje; het lijkt of hij moet glimlachen. 'Een genie zelfs, nou nou...' Hij neemt zijn servet van zijn schoot en laat hem van enige hoogte op de tafel vallen. 'Tja, ik kan het proberen.' Hij begint te vertellen over de deeltjesversneller en dat die van CERN zijns gelijke niet kent op de wereld. De LHC is 27 kilometer lang. Hij loopt hier vlak onder de tafel, waaraan wij zitten, op zo'n 115 meter diepte. Vanaf augustus zullen daar met niet eerder behaalde snelheden atomen op elkaar worden afsnellen, door de knal van de botsing uiteenspatten in kleinere deeltjes waarbij ze een enorme hitte bereiken en dan voor het miljardste deel van een milliseconde het DNA van het heelal openbaren. Een simulatie van de oerknal, maar dan tienduizend keer per seconde. 'We breken door tot de oorsprong van al het zijn,' verklaart Klaus, die nu helemaal in zijn element is. 'Voor het eerst zal de mens begrijpen wát hij eigenlijk is.'

'En dat terwijl sommigen al blij zouden zijn als ze wisten wíe ze waren,' mijmert Marc.

'En wat is precies uw taak?' vraagt Bernard.

Klaus legt uit dat de deeltjes door een magneetveld bestaande uit 10.000 magneten in hun baan worden gehouden. Deze omhullen de tunnel en houden de protonenstraal op zijn plaats. Maar dat kan alleen als de stroom van deze elektromagneten zonder enige weerstand door de magneten gaat en dat betekent weer dat deze constant op een temperatuur van min 271 graden moeten worden gehouden. 'Tienduizend magneten bij min 271. Kun je je daar een voorstelling van maken?'

'Niet echt,' zegt Bernard.

Hij baalt ervan dat hem dat niet lukt. Hij heeft werktuigbouwkunde gestudeerd en was een van de besten van zijn jaar. Nanotec heeft hem daarom direct aangenomen. Als hij bepaalde gegevens moet analyseren van een proef, duurt het nog geen vijf minuten voor hij de vinger op de zere plek kan leggen. Maar bij deze man aan tafel, moet hij zich laten onderwijzen.

'Supervloeibaar helium,' zeg ik.

Klaus kijkt me aan alsof hij nu pas merkt dat ik ook aan tafel zit. 'Supervloeibaar helium,' herhaalt hij. 'Een vloeistof waarmee men in het gunstigste geval slechts met uiterst kleine hoeveelheden mag werken. En wij hebben er tonnen van nodig.' Hij schudt zijn hoofd in ongeloof, nu hij zelf de betekenis van zijn werkzaamheden in feiten weer kan geven. 'Dat is de omvang van mijn verantwoordelijkheid. Als het koelsysteem het begeeft of een van de magneten slechts een paar tiende van een graad opwarmt, dan...'

'Doorklieft de protonenstraal het metaal en smelt de hele boel,' zeg ik.

Klaus neemt mij aandachtig op. 'Zo is het precies.'

Marc schuift twee vorken rijst in zijn mond. 'Ik zei toch dat hij geniaal is.'

Achter Klaus' pupillen voltrekt zich een onzichtbare verandering. Daarnet leek hij zijn tijd nog te verspillen aan een lastige persoon, meegenomen door zijn lesbische schoonzus, die zijn goede wijn opdronk, en nu blijkt hij plotseling tegenover iemand te zitten die niet alleen zijn verhaal kan volgen, maar zelfs kan aanvullen. Zou dit een waardige tegenstander kunnen zijn?

'En?' vraagt hij als hij zijn mes en vork gekruist op zijn bord legt, 'is dit genie ook het schaakspel machtig?'

We spelen in de woonkamer. Mij wordt verzocht op het leren bankstel plaats te nemen. Klaus neemt de wijnglazen mee, schenkt nog wat bij en schuift een krukje aan tegenover mij. Lilith brengt Nicolas naar bed, Bernard helpt Andrea in de keuken en Marc staat op het balkon zijn laatste joint van de dag te roken.

De salontafel bestaat voor twee procent uit messing en voor achtennegentig procent uit glas. Daarbovenop zet Klaus een glazen schaakspel, met glazen schaakstukken. Telkens als ik een stuk verplaats, zie ik door het stuk en het bord en de tafel heen hoe hij zacht met zijn rechterschoen op het tapijt tikt.

Bij zet achttien open ik heel onopvallend een achterdeurtje voor Klaus om mijn vesting binnen te dringen, waaraan Klaus monter voorbij galoppeert. Drie zetten later open ik de voordeur. Hij aarzelt een moment en schuift er dan zijn loper voorbij. Bij de vierentwintigste zet laat ik de ophaalbrug zakken en wacht net zolang tot zijn pion er praktisch over struikelt. 'Ha!' roept Klaus, als hij ziet wat hem daar in de schoot is geworpen. Zes zetten later bestormt hij met een speciale eenheid mijn vesting en maakt mijn koning een kopje kleiner.

Klaus staat op en schudt mijn hand. 'Goed gespeeld,' zegt hij. Nu hij mij verslagen heeft, begint hij ineens u tegen me te zeggen. 'Wat u ontbreekt, is wilskracht.' Hij boort met een wijsvinger door een imaginaire borstwering in de richting van mijn borstbeen. 'U moet de goede kant op denken.' Hij lacht minzaam. 'Maar dat kun je helaas niet leren. Dat is een aangeboren talent.'

'Dank u,' zeg ik.

Lilith zit nog bij haar zus in de keuken als Bernard, Marc en ik naar bed gaan. Al bij het tandenpoetsen merk ik dat Marc iets dwarszit. En Bernard heeft de slaapkamerdeur nog niet achter ons dichtgetrokken, of hij barst los.

'Waarom laat je die vent winnen! En ga me nou niet vertellen, dat hij beter was. Ik zag het aan je gezicht – je was er zeker niet bij met je hoofd.'

'Toch wel hoor,' verklaar ik mezelf. 'Het was niet makkelijk.'

'Wat was niet makkelijk?'

'Hem te laten winnen.'

Een moment later vormen we een perfecte driehoek: Bernard, Marc en ik. Als ik naar de grond kijk, zie ik dat we schaakstukken zijn die op een diagonaal gelegd schaakbord staan, waarvan de witte velden alle 30 bij 30 centimeter zijn.

'Heb jij hem laten winnen?' vraagt Bernard.

Ik schuif twee velden naar achteren en stap daarmee uit de schotslinie. 'Ik dacht, als ik hem laat winnen, maakt hij wat tijd vrij voor zijn zoon,' zeg ik.

Marc en ik delen het tweepersoonsbed. We zitten op de rand en testen met onze voeten Bernards kampeermatras als plots Bernards mobieltje gaat. Als door een angel gestoken springt hij op. Als hij in het display ziet wie hem belt, trekt hij verwonderd zijn wenkbrauwen omhoog en roept 'Hallo!'

Marc en ik kijken elkaar aan. Als Bernard zo 'Hallo' zegt, kan dat maar één ding betekenen: Zoë.

Minutenlang horen we Bernards korte antwoorden: ja, nee, geen punt, tuurlijk niet, in Genève, ja, waarom? Aha, geeft niet, tuurlijk, nee, afgesproken, elf uur twintig, Genève, ja hoor, tot dan. Pas in de laatste zin laat hij zich gaan: 'Leuk je dan te zien.' Hij verbreekt de verbinding en staart naar zijn telefoon alsof er elk moment een duveltje uit kan springen.

'Dat was Zoë,' zegt Bernard.

Marc: 'Ach.'

Ik: 'Echt?'

'Ze vroeg of ze toch nog mee mocht.'

Marc en ik wisselen weer een korte blik van verstandhouding.

'Ze heeft een vlucht geboekt die aankomt om twintig over elf. Ik heb gezegd dat we haar ophalen.' Bernards blik is een mengeling tussen 'ik weet dat ik jullie om toestemming had moeten vragen' en 'zeg alsjeblieft geen nee'. Hij houdt zijn mobieltje stevig vast.

Marc staat op en doet het licht uit. 'Wat goed om te horen dat ook voor jou een kleine omweg geen bezwaar meer is.'

Bernard slaapt alsof hij ligt opgebaard: op zijn rug, met de handen gekruist over de borst. Marc heeft zich naast mij in zijn deken gerold en ligt te snurken op zijn zij. Lilith en Andrea zitten nog te praten in de keuken. Soms hoor ik Lilith haar stem verheffen en dan fluistert Andrea dat ze zachter moet doen. Op een zeker moment huilt Andrea. Of Lilith. Of allebei. Ik vraag me af wat oom

Hugo in mijn geval had gedaan. Of hij Klaus ook had laten winnen. Of juist niet.

Het is na drieën als Lilith de kamer betreedt. Ik sluit mijn ogen en doe net of ik slaap. Even staat ze doodstil naast het bed. Ze ruikt lekker. Een mix van zeep en zon. Na een tijdje hoor ik haar 'Pffft' zeggen en zoekt ze haar matras op.

'Je slaapt toch niet,' fluistert ze in het donker.

Een tijd lang is alleen Marcs gelijkmatige gesnurk te horen. Dan zegt Lilith plotseling: 'Hoe kan een mens zichzelf zo kleineren?'

Ik geef geen antwoord.

'Ik bedoel mijn zus,' legt ze uit.

'Dat begrijp ik.'

'Ik dacht al dat jij het begreep.'

'Jij wilt toch altijd het laatste woord.'

'Altijd.'

'Welterusten.'

'Jij ook.'

11

Toen ik zeven werd, kreeg ik van oom Hugo een schaakcomputer met Kerstmis. Hij bleef maar bezig met mijn begaafdheid voor wiskunde.

'Een Mephisto Roma?' viel mijn vader tegen hem uit. 'Koop dan meteen gouden schaakstukken voor hem!'

Het speelveld was van hout, net als het spel van mijn vader, met gedraaide figuren. Er zat alleen een laatje in met de module, 32-bits zoals mijn vader zei. In het midden daarvan zat een klein lcd-schermpje. Intussen wist ik ook wat het woord 'begaafdheid' betekende. Dat had mijn onderwijzeres me uitgelegd. Begaafdheid betekende dat je iets beter kon dan de anderen.

Sebastiaan kreeg een racefiets met twaalf versnellingen, donkerblauw en met gouden opdruk. Hij had liever een Peugeot gehad, maar vader vond dat het een Duitse fiets moest worden. Hij zei: 'Die Fransen hebben geen verstand van techniek.'

Toen mijn vader dat jaar vroeg: 'En, Hugo, een partijtje schaak?' zei mijn oom tegen mij: 'En, jij, Felix. Wil jij kijken?'

Ik knikte en volgde hen naar de studeerkamer.

Vader verloor, net als andere jaren. Hij had meer geld, maar oom Hugo was slimmer.

'Op een dag pak ik je terug,' zei vader, 'En dan maak ik je koning een kopje kleiner.'

Hij stond op en liep naar de woonkamer waar hij een whisky inschonk aan de huisbar, een dubbele. Hij liet oom Hugo en mij achter in de studeerkamer.

'Hoezo wil papa jouw koning een kopje kleiner maken?' vroeg ik.

Oom Hugo staarde naar het bord en stopte zijn pijp. 'Ik ben bang dat hij te lang in het leger is geweest – dat raak je niet meer kwijt. Bovendien haat hij verliezen.'

Bij het leger, dat had ik van mijn vader geleerd, leerde je vechten. Ik hoopte dat ik niet bij het leger hoefde als ik groot was. Ik wilde geen kopje kleiner worden gemaakt en ik wilde evenmin een ander een kopje kleiner maken.

'Haat jij verliezen?' vroeg ik.

'Nee.' Oom Hugo wreef over zijn kin. 'Met haat schiet je niks op.'

'Waarom laat je hem niet gewoon winnen?'

'Dat kan ik wel doen.' Oom Hugo liet zijn gedachten in de lucht hangen net als zijn rookpluimen. 'Maar weet je, ik denk dat je vader tegen mij speelt omdat hij graag wil verliezen.'

Dat begreep ik niet. 'Maar waarom?'

Oom Hugo liet zijn hoofd zakken en observeerde de stomme getuigen van mijn vaders nederlaag. Het gevecht was voorbij. De pionnen die het overleefd hadden, stonden verwijtend stommetje te spelen.

'Om eerlijk te zijn,' zei hij, 'weet ik dat niet. Misschien wil ik gewoon niet dat hij mijn koning een kopje kleiner maakt.' Hij pakte vaders koning op en zette hem weer terug op zijn plaats. 'Zal ik je de regels uitleggen?'

Dag 2

'What is the purpose of my life
If it doesn't have to do
With learning to let it go'

(Jack Johnson)

12

Liliths zus woont niet, zoals we dachten, in Genève zelf, maar in een kleine voorstad die op een berghelling ligt en via een weg vol haarspeldbochten te bereiken is. Aan de ontbijttafel heerst een zwijgen. Na het gesprek met haar zus de afgelopen avond heeft zelfs Andrea geen tekst meer. Achter de schuifpui verschijnt de nieuwe dag in al haar stralende glorie. Een turkooisblauw stukje meer schittert ons tegemoet. De jachten die gisteravond naar hun ligplaatsen voeren, varen nu met gereefde zeilen de dag tegemoet.

Klaus zit verstopt achter de *Neue Zürcher Zeitung*. Dan stommelt Patrick binnen, anderhalf jaar oud. Hij heeft de blonde krullen van zijn tante, zwaait bij het lopen met zijn armen in de lucht en het lukt hem de tafel te bereiken zonder te vallen.

'Het stinkt hier,' merkt Klaus op.

Zwijgend staat Andrea op, tilt Patrick op en neemt hem mee om zijn luier te verschonen. Even later vouwt Klaus de krant op en verlaat het huis om bij CERN zijn magneten te koelen. Marc, Bernard en ik pakken onze spullen. Als ik uit de badkamer kom, staan Lilith en Andrea in de keuken te praten. Lilith draagt Patrick en Andrea ruimt de ontbijtspullen op.

'Heeft jouw man eigenlijk zijn eigen kinderen wel eens de billen afgeveegd?' vraagt Lilith, terwijl Patrick met zijn handen in haar haar speelt.

'Wat denk je zelf?'

'En waarom dan niet?'

Andrea veegt de tafel schoon met een vaatdoekje. 'Dat doet hij gewoon niet.'

'En jij laat dat gewoon toe?'

In plaats van te antwoorden, draait Andrea zich om en ruimt de afwasmachine in. Ik ga verder met pakken.

Marc en ik zitten naast onze volle tassen en bestuderen Bernard die zijn aluminium koffer netjes inpakt. Plotseling komt Lilith de kamer binnen en duwt met haar rug de deur dicht.

'Jongens…' ze slaat haar armen over elkaar wat iets met haar borsten doet waardoor Bernard naar adem moet snakken. Hij bijt op zijn lip. Plotseling zie ik tranen in haar ogen. De sloten van Bernards koffer klikken dicht. Klaar, we kunnen vertrekken. 'Mag ik met jullie mee?'

We zitten in de bus te wachten. 'Geef me tien minuutjes,' had Lilith gezegd toen ze ons de deur uitzette. Intussen zijn er twintig voorbij. Bernard blikt nerveus op zijn horloge. Hij is bang dat Zoë rechtsomkeert maakt als ze bij aankomst niet direct door hem wordt opgevangen. We zijn aan de late kant. De ochtendzon schijnt al fel op het asfalt waarvan nog slechts de helft schaduw krijgt van de huizenrij aan de overkant. De bakker op de hoek laat de straat geuren naar croissants en baguettes.

Dan gaat het tuinhek open, Liliths krullen dansen in het zonlicht. Ze laat een flauw lachje zien. Ze heeft een knalrood T-shirt aan dat strakker zit dan nodig is. Als ze zich bij ons voegt, aan de schaduwkant van de straat, zien we ook wat erop staat:

ANDERE LANDEN
ANDERE TIETEN

Als ze op de bijrijdersstoel klimt kijken er drie paar ogen naar haar T-shirt.

'Ik dacht, ik ga eens in de aanval,' verklaart ze, om te vervolgen: 'Wat mij betreft kunnen we gaan.'

De luchthaven van Genève lijkt wel een vliegdekmoederschip. Lange dekken met bars en shops, gevuld met verveelde mannen, die alles al hebben gezien, alles al hebben gedaan. En zoals Bernard al had voorspeld, zijn we te laat. Maar gelukkig heeft Zoë's vliegtuig meer vertraging dan wij, zeker een halfuur.

We passeren diverse etablissementen voordat we neerstrijken in het Montreux Jazz Café, waar we mogen zitten onder een kunstig nagemaakt keldergewelf. Uit onzichtbare luidsprekers kabbelen jazzstandards, die je niet van elkaar kunt onderscheiden, maar die je toch allemaal denkt te kennen.

Bernard heeft liever niet dat we hier gaan zitten; hij is bang dat we Zoë mislopen, maar Marc is van mening dat als de vertraging nu al een halfuur duurt, deze alleen nog maar kan oplopen, en bovendien zegt hij: 'Jij had de hele ochtend nodig om je koffer te pakken waardoor we geen tijd hadden voor koffie.'

Nog voordat onze bestelling op tafel staat, begint Marcs linkerbeen te wippen. Hij haat jazz. Urenlang om dezelfde melodie heen draaien, zonder ergens uit te komen. Wie verzint er nou zoiets? 'Oud worden in een looprad en dan sterven zonder dat je het in de gaten hebt,' meldt hij. 'Dat is jazz.'

Bernard zegt niets. Hij denkt aan Zoë en dat we haar misschien zullen missen. Lilith denkt aan haar zus. Tot ze zich ineens tot mij wendt.

'Vind jij dat ik last moet hebben van mijn geweten, omdat ik niet ben gebleven?'

'Ik geloof niet dat dat aan de orde is.'

Lilith doet zoveel suiker in haar koffie dat het kopje nog net niet overstroomt. 'Alsof zij het zo goed heeft…' Ze laat het lepeltje erin vallen en roert. Even later staat het kopje in een voetenbad. 'Daar word ik nou woest van,' zegt ze. Ze roert en roert. 'Ach, schijt.' Ze brengt het lepeltje naar haar mond en likt het af. 'Bah! Veel te zoet!' En schuift het kopje weg. 'Zij wil gewoon dat ik een slecht geweten heb. Denk jij dat ze ook maar één keer heeft gevraagd hoe het met mij gaat?

Als we naar de KLM-balie terugkeren is Zoë al aangekomen. Met minder vertraging dan aangekondigd. Ze zit op een bankje alsof ze zo weer naar Chicago kan vertrekken: donkerblauw pakje, witte blouse, de rolkoffer naast zich en d'r haar als in een shampooreclame. Alles aan haar zegt: hier ben ik! Maar er is meer, er hangt een zweem van droefheid om haar heen.

Ze zit op haar laptop te werken tot ze merkt dat wij om haar heen staan. 'Ik begon al te denken dat jullie niet meer zouden komen!' Bijna glijdt haar laptop van haar schoot.

Alle drie worden we door haar omhelsd. Ik kan me niet herinneren ooit zoveel blijdschap op haar gezicht te hebben gezien. Dan is het Liliths beurt.

'En dit is Lilith,' zegt Marc. 'Lilith, dit is Zoë.'

Lilith bestudeert Zoë, alsof ze wil zeggen: precies mijn maat. Zoë staart op haar beurt naar Liliths T-shirt.

Lilith lacht. Voor het eerst zie ik dat ze verlegen kan zijn. Maar niet voor lang.

'Wat er ook gebeurd is,' begroet ze Zoë, 'ik sta aan jouw kant.'

Op weg naar de bus legt Bernard uit waarom Lilith zich bij ons gevoegd heeft: dat wij een volledig zinloze klim op een rotsblok maakten en toen we naar beneden kwamen die Maserati zagen, waarvan de deur openvloog en daar ineens Lilith stond, die schreeuwde: 'Ammehoela met je amore!'

'Goed zo!' zegt ze en krijgt een stralende lach van Lilith.

We stappen in. Marc zit naast mij, Lilith tussen Bernard en Zoë op de achterbank.

'Ik weet niet of ik het al gezegd heb…' Lilith kijk ons allemaal aan. 'Maar bedankt dat jullie me meenemen.'

'Dat geldt ook voor mij,' vindt Zoë lachend.

Bernard vindt het vast kinderachtig van zichzelf dat hij trots is nu Zoë toch met ons naar Frankrijk rijdt, in plaats van met Ludo naar die conferentie te gaan. Daar zou hij graag bovenstaan. Maar dat doet hij niet. Wat zou het ook. Hij staat er niet boven. Feit is: toen het gisteren niet goed ging met Zoë, heeft ze hem, Bernard, opgebeld. En nu zitten ze samen in Marcs bus, op weg naar de zee.

'Dat spreekt toch vanzelf,' zegt hij, mede namens ons, en tegen Marc: 'Kun je geen cd opzetten – iets... stemmigs.'

Als we de parkeergarage uitrijden, tikken beide wijzers van de klok net de twaalf aan. *High Noon*. Ik krijg kippenvel van de felle zon. Aan de horizon hebben zich al een paar trage Zwitserse wolken verzameld. De rest van de hemel is stralend blauw. Marc heeft een cd gekozen. Op weg naar Frankrijk bezingt Jack Johnson met zachte stem de dag, waarop hij heimelijk zijn fiets vastzette aan de hare, zodat ze na school niet zonder hem kon weggaan. En vandaag, ruim tien jaar later, zijn ze nog steeds samen. Stemmiger kan het bijna niet.

Tot aan de oprit naar de snelweg kan Bernard zich inhouden, maar ik heb de bus nog maar nauwelijks in de vierde versnelling gebracht, of hij knalt het eruit: 'Wat is er eigenlijk gebeurd, Zoë?'

Zoë kijkt naar buiten. Ze wil liever niet praten over wat er is gebeurd. Niet omdat wij het niet mogen weten, maar omdat alles dan weer bij haar bovenkomt: wat er gisteren en eergisteren gebeurd is, en al die achttien maanden daarvoor.

'Ludo is...' begint ze, maar dan duwt ze de gedachte met beide handen van zich af. 'Ach, ik weet het ook niet.'

13

Hij is jaloers, zoveel is zeker. Toen Zoë hem na de voetbalwedstrijd opbelde om te melden dat ze graag met ons, haar vrienden, naar Zuid-Frankrijk wilde gaan, kon hij daar moeilijk wat tegen inbrengen. Zijn vrouw stond naast hem en bovendien stond hij op een receptie met een potentiële klant te babbelen. Maar hij vond haar plannetje duidelijk irritant. Dus zodra hij in de gelegenheid was, belde hij terug met het verzoek het reisje te laten schieten. In plaats daarvan kon ze met hem naar een congres in Chicago, drie dagen lang, met zijn tweetjes. Hij kon er wel twee dagen aan vastplakken: in een vijf-sterrenhotel, met roomservice. Overdag het congres, 's avonds naar een concert en 's nachts het paradijs. Echte commítment voor elkaar, wel vijf dagen lang. Dus had ze haar oude vrienden, haar vorige leven, laten schieten. Sorry.

Toen ze dag erna op kantoor kwam, vroeg ze bij Ludo's secretaresse of haar vlucht naar Chicago al geboekt was. Als antwoord kreeg ze te horen dat er alleen reserveringen waren gemaakt voor Ludo, zijn vrouw en de kinderen. Sinds de dag ervoor. De secretaresse kon haar leedvermaak amper verhullen. Ludo had Zoë dus voor het lapje gehouden, want hij had allang geboekt voor zijn gezin.

Zoë stormde zijn kantoor binnen maar kon van woede niets uitbrengen. 'Doe nou maar rustig,' deed Ludo en krabbelde met zijn pinknagel aan zijn neus – een tic van hem. 'Kalm maar, popje.' Zo noemde hij haar echt: popje. Dat had ze hem al die tijd niet af kunnen leren. Dat met zijn vrouw en kinderen was helaas niet terug te draaien, zo legde hij uit, maar Zoë kon toch gewoon incognito meevliegen en dan in hetzelfde hotel een andere kamer nemen om daar op hem te wachten? Hij zou natuurlijk de kosten betalen.

Terwijl ze daar in zijn kantoor stond, had Zoë, ondanks haar blinde woede en diepe teleurstelling, een moment van grote helderheid gehad. Ze was voor hem niets anders dan een... ja, wat eigenlijk? Stand-by minnares? In elk geval zou hij om haar zijn vrouw nooit verlaten.

In de lunchpauze was ze naar de huisarts gegaan, waar ze zich meteen kon ziek melden. De rest van de middag had ze thuis doorgebracht in een waas van tranen en 's avonds had ze Bernard gebeld en nog tijdens het gesprek de vlucht naar Genève geboekt.

'Een egoïst,' zegt Lilith.

'Wie?' vraagt Zoë.

'Die Ludo van je. Je weet toch wat dat betekent? Hij is gewoon een jaloerse, gierige, macho alfaman; een controlfreak en een egoïst.'

Zoë plukt wat onzichtbare pluisjes van haar rok. Ze weet dat hij dat is en ze weet het al langer dan gisteren – en ze weet ook wat dat over haar zegt; dat uitgerekend zíj zich door zo iemand laat inpakken. Maar zo is het. Anders niet. Zij wil hem, egoïst of niet.

'Jij wilt de grootste vis die je kunt vangen,' stelt Lilith vast.

Zoë zwijgt. Ja, dat is het: ze wil de grootste vis in de zee. En, ja, waarschijnlijk alleen maar, omdat hij de grootste is.

Bernard is al een paar minuten bezig met pulken aan zijn duimnagel, maar rukt daarbij een stuk met vel en al los. Er verschijnt bloed.

'Balen,' zegt hij en kijkt naar zijn bebloede duimnagel.

Daarbij wordt hij steeds bleker. Hij kan niet tegen bloed. Hij is ook bang voor de dokter, vooral als hij bloed moet laten prikken. Snel doet hij een papieren zakdoekje om zijn duim.

‘Dat is altijd zo geweest,’ zegt Marc. ‘Al bij de neanderthalers ging het erom wie de grootste mammoet omlegde. Die jager kon dan de meest behaarde vrouw naar zijn hol sleuren.’

‘Hè bedankt,’ werpt Bernard tegen, die behaarde vrouwen ongeveer net zo sexy vindt als behaarde aardbeientaartjes.

‘En de vrouwen waren er op hun beurt natuurlijk op gebrand door de succesvolste jager bevrucht te worden,’ doet Lilith een duit in het zakje.

Zoë kijk een beetje beledigd, omdat het nu net klinkt alsof ze het stadium van neanderthalers nog niet is gepasseerd.

‘En hoe wisten zij dat dan precies?’ vraagt Bernard.

‘Niet,’ verklaart Marc. ‘Dat was pure speculatie. Maar hoe kun je anders verklaren dat vrouwen vrijwillig met mannen als neanderthalers het bed induiken?’

Bernard is uitgeluld. Bovendien is hij er zelf wel van overtuigd – van die mammoeten. En hij weet ook dat hij zelf die grote mammoet altijd aan iemand anders heeft overgelaten. Hij kijkt naar zijn duim. Het stukje vel dat hij heeft losgetrokken was niet groot, maar toch blijft het wondje maar bloeden.

‘Zijn er pleisters?’ vraagt hij.

‘De verbandtrommel ligt ergens achter je,’ antwoordt Marc.

Bernard begint in de achterbak te rommelen.

Zoë, die in gedachten verzonken uit het raam zit te kijken, zegt plotseling, ‘En dus?’

We kijken allemaal naar haar, behalve Bernard, die met zijn neus in de tassen zit. Marc heeft een teer punt geraakt. En dan gaat het net zo als met een lek in een oliepijp: het gat wordt alleen maar groter.

‘Dus waarom wil hij jou dan niet?’ vraagt Marc.

‘Misschien is ze niet behaard genoeg,’ komt Bernards antwoord van achteren.

Zoë werpt Marc een bestraffende blik toe. ‘Hij wil me wel!’

'Maar waarom' – Bernard is inmiddels niet meer zichtbaar en klinkt alsof hij een prop in zijn mond heeft – 'weet zijn vrouw dan nog niet dat hij jou wil?'

'Hij wacht op het juiste moment.'

'Al twee jaar?' vraagt Marc.

Zoë slaat haar armen over elkaar. 'Anderhalf jaar.'

Nu zijn we eigenlijk op het punt aanbeland dat we haar met rust moeten laten. Maar dat kan Bernard niet. Zoë's relatie met Ludo, dat is als een haaltje aan zijn nagel waar hij niet van af kan blijven. 'En wanneer denk je dan dat het juiste moment is aangebroken?'

Zoë gaat rechtop zitten en kijkt weer uit het raampje. Dan zegt ze iets waarmee ze haar verlies toegeeft: 'Volgend jaar zomer.'

Iedereen, behalve Lilith begint te grinniken, zelfs Zoë zelf. 'Volgend jaar zomer' was twee jaar lang een *running gag* bij ons, toen we elkaar na school regelmatig troffen op een veldje in het Mauerpark. Marc had dan altijd zijn gitaar mee, Bernard zijn opblaasbare kussen en Zoë haar D&G-handtas. Natuurlijk waren er ook wel eens andere mensen die af en toe opdoken en na enige tijd weer verdwenen. Meestal waren het aanbidders van Zoë, of aanbidsters van Marc, of mensen met wie hij muziek maakte.

De uitdrukking werd als eerste gebruikt door Bernard, meen ik, die ons over zijn voornemen vertelde om de marathon te lopen, en wel in drie uur dertig.

'En wanneer gaat dat dan wel gebeuren?' had Marc gevraagd. 'In je volgende leven?'

'Nee,' had Bernard toen vastbesloten gezegd, 'volgend jaar zomer.'

Vanaf die dag was 'volgend jaar zomer' synoniem met 'gaat niet gebeuren'. Als Bernard Marc wilde sarren en zei: 'Hee, Marc, ik hoorde dat je een tien voor Latijn had.' Dan antwoordde Marc: 'Volgend jaar zomer.' En als Marc Bernard wilde provoceren en zei: 'Klopt het dat jij met Zoë hebt geslapen?' was het antwoord eveneens: 'volgend jaar zomer'.

Inmiddels hebben we Genève achter ons gelaten en duiken we de eerste van de vele tunnels in. Bernard heeft de verbandtrommel niet gevonden en probeert met het derde zakdoekje het bloed te stelpen. Ik kijk naar de voorbijrazende lichtjes van de markering die ons binnen de lijnen moeten houden, en die ons als in een slechte sciencefictionfilm naar een andere dimensie lijken te voeren.

'Wilde mijn zus ook.' Lilith kijkt nog een keer achterom naar de stad die al begint te verdwijnen doordat de tunnel een bocht maakt. 'De grootste vis in de vijver.' Toen niemand van ons iets zei, ging ze verder: 'En ze kreeg hem ook... een heuse Einstein.' In de achteruitkijkspiegel lijkt het nu net of de lichtjes één voor één in Liliths oor verdwijnen. 'En blij dat ze ermee is...' besluit ze haar verhaal.

Vlak daarna passeren we de grens. Frankrijk. Een andere dimensie. We zijn nog maar 700 kilometer verwijderd van de Middellandse zee. Eergisteren zat ik rond deze tijd nog in mijn bouwkeet, te wachten op de avond en op Hit-and-run. Merkwaardig toch, bedenk ik me, dat een mens altijd ergens op wacht. Als er niets onverwachts gebeurt, dan kunnen we er rond middernacht zijn, aan de zee, in Hugo's huis, waarvan ik de sleutel al twee dagen in mijn broekzak draag. Misschien, denk ik verder, had ik beter in Berlijn in mijn bouwkeet kunnen blijven, als Diogenes in zijn ton, in plaats van op te houden met wachten.

Feels so good to be free...
From time to time...

Marc heeft Jack Johnson inmiddels verruild voor Donavon Frankenreiter. Die bezingt de vrijheid, het kleine wonder – freeheeheehee-heeeee – en hekelt daarmee Bernard, met zijn angst voor pensioenbreuk en andere dwangmatigheden. Alles moet volgens schema. Vrijheid – pfff... Marc heeft me op YouTube een keer een video laten zien waarop Donavon aan het surfen is, in de avondzon en met een dolfijnenfamilie spelend in de golven. Gewoon, omdat dat leuk is. Bernard zou zo'n Frankenreiter het liefst de nek omdraaien.

We zijn nu halverwege Chambéry en Grenoble. Voor het eerst sinds Genève zien we weer echte bergen. Ook de wolken zien er serieus uit. Hiervoor lagen de wolken nog argeloos rondom de horizon, daarna trokken ze als een oprukkende armada door de lucht en nu worden de bergen vanaf de boomgrens bedekt door een alles omhullende witte deken. Heel af en toe piept er een top door een gat in het wolkendek, dan zie je de schaduwen over de bergflanken jagen. Of een beekje kronkelt naar beneden, als een spoor van tranen, uit de wolken, door een dennenwoud om zich ten slotte vanaf een rotsblok in de diepte te storten.

Als ik aan oom Hugo en het huis denk, krijg ik een gevoel alsof hij nog leeft en ons daar opwacht. Op mijn vijfde verjaardag plaste ik, van pure vreugde omdat hij op bezoek zou komen, in mijn broek. 'Wat ben je toch een idioot,' had mijn vader gezegd en toen moest ik het aan iedereen laten zien.

Het verkeer wordt dichter en loopt langzaam maar zeker vast. De wolken houden de hitte vast aan de grond, op de snelweg en in de bus, die met moeite door de zachte teer naar boven kruipt. We draaien de raampjes omlaag en trekken de schuifdeur open maar het helpt niets. Wij staan stil en de lucht staat stil. Op de vluchtstrook staan mensen in drijfnatte shirts naast kokende motoren. Een vrouw staat wijdbeens met haar dochtertje tussen de benen, om haar te laten plassen in de berm. Anderen kijken reikhalzend naar voren, waar het weer verder moet gaan rijden.

'Doet me denken aan die keer met Ramona,' brengt Marc naar

voren, al is het onduidelijk wat hem daar precies aan doet denken.

'Die van school, die twee klassen hoger zat?' vraagt Bernard meteen.

'Eén klas hoger,' antwoordt Marc.

'Toch niet die tennis-Ramona?' vraagt Zoë.

'Precies ja, die. Kennen jullie haar nog?'

'Nou en of,' zegt Bernard.

'Of ik me die herinner,' zegt Zoë. 'Die is intussen presentatrice bij MTV!'

'Zou kunnen. Met haar heb ik in elk geval een heel avontuur beleefd. Destijds begreep ik er niets van, maar later is me wel duidelijk geworden, dat het meer een gelijkenis is. Een... Felix, hoe heet dat?'

'Een parabel,' zeg ik.

'Een parabel inderdaad. En ik zat er middenin, in die parabel.'

Ik doe de motor uit, Marc bouwt een joint, Bernard trekt zich honderd keer op aan het schuifdak en Zoë en Lilith leggen alsof het afgesproken is gelijktijdig hun benen omhoog. En dan vertelt Marc het verhaal van de vakantie met Ramona en haar ouders.

14

De halve school was op Ramona. Haar vader had een farmaceutisch bedrijf. Had miljoenen verdiend met een of ander medicijn en liet zijn dochter elke morgen door zijn bediende, met de naam Karl-Heinz, in een zwarte Jaguar voor de schooldeur afzetten. Aan de ene kant verafschuwde Marc natuurlijk die Jaguar, maar aan de andere kant had hij er maar wat graag in gezeten. Tenminste, dat was toen zo.

Maar, om tot de kern te komen: vanwege het vele tennissen had Ramona de strakste kont van de bovenbouw, waarschijnlijk zelfs van de wereld. De hele tennisclub lag aan haar voeten. Viermaal per week vulde het terras voor de club zich met mensen, een kwartiertje voordat Ramona begon met trainen. En de plaatsen met het mooiste uitzicht waren al een halfuur voor aanvang bezet. Het zag er dan ook geweldig uit, als Ramona zich in haar korte rokje en met een bezweet voorhoofd over het gravel bewoog. En als zij bij haar opslag een geluid voortbracht dat het midden hield tussen een zucht en een schreeuw, hield het hele terras de adem in. Maar wat kon Marc daarmee? Hij speelde geen tennis en was niet van plan het te leren.

Maar toch wist hij haar te veroveren. Al in die tijd was hij een opvallende jongen. Hij deed niets aan school en speelde gitaar als de beste. En toen hij haar eenmaal veroverd had, concludeerde hij dat er achter Ramona's upperclass-façade een honger naar seks schuilging, die hij tot dan alleen uit films kende, die niet in gewone bioscopen te zien waren. Dat maakte zelfs de saaiste bezigheid spannend.

'Stel je eens voor: een nymfomane!'

Bernard slikt. 'Dat is ze vast nog steeds.'

Ramona's ouders gingen elk jaar een aantal weken zeilen op hun jacht. In de zomer na haar eindexamen mocht Marc mee. De ouders, die hun dochter zagen als een lichtend voorbeeld van deugdzaamheid, wezen hen gescheiden kooien toe – tegenover elkaar – waarmee de kans op zelfs maar een beetje seks, laat staan de spannende dingen die Marc en Ramona voor ogen hadden, was verkeken. Dagenlang zaten ze beiden bovendeks handje in handje en voeren van het ene Griekse eiland naar het andere, totdat Marc het gevoel had dat niet alleen heel Griekenland, maar ook zijn onderlichaam uit louter zuilen bestond. Gaandeweg werd ook duidelijk dat hij en Ramona elkaar weinig te vertellen hadden en ook nooit zouden hebben. En tot overmaat van ramp had hij zijn gitaar niet bij zich.

Na ongeveer een kwart eeuw bereikten ze een eilandje waarop niets te bezichtigen viel. Ramona's gezicht klaarde op en voordat het anker de bodem had beroerd en haar ouders met hun plannen voor de dag konden komen, verklaarde ze: 'Wij gaan even het eiland verkennen,' pakte Marcs hand beet en sprong met hem van boord.

Het was niet gewoon seks waar Ramona naar verlangde, geen doodordinaire seks, nee, het moest perfect zijn: haar eerste, post-eindexamen, volwassen keer seks. Vandaag zou het begin zijn van de rest van haar leven; de kindertijd voorbij. Zo gingen ze ervandoor, op zoek naar het perfecte strandje voor de perfecte seks.

De eerste drie strandjes waren niets; te dicht bij het jacht en Ramona's ouders. Op het volgende strandje lag een stel hippies rond een kampvuur. Een van hen stak net een joint aan met een stuk hout en riep: 'Yo, man!' Daarna volgden nog een paar strandjes, die in Marcs optiek uitstekend voldeden, maar het idee dat ze na de volgende bocht een nog veel mooier – het perfecte! – strandje zouden vinden, liet Ramona niet meer los. Ze waren al uren onderweg en Marc had inmiddels een akelig verbrande nek, toen Ramona plotseling besloot dat het volgende strandje, hét strandje zou zijn, hoe het er ook uit zou zien. Marcs benen wilden niet meer, zijn hele lijf wilde niet meer. Ramona's atletische dijen droegen haar moeiteloos een steile rotswand op, terwijl Marc zich, badend in het zweet, op handen en voeten naar boven werkte. Om de een of andere reden had Ramona ook geen last van zonnebrand. Dus zij snelde vooruit, in haar tennisrokje, met niets eronder. En terwijl ze die rots beklom, deden haar billen de ongelooflijkste dingen.

Marc had de hoop op de ultieme sekskick stiekem al opgegeven. Bovendien twijfelde hij of hij na alle vermoeienissen van de afgelopen uren nog voor elkaar kon krijgen wat hij zich had voorgenomen. Maar Ramona's billen brachten hem toch weer in vervoering. Ineens was het niet zozeer een zoektocht naar het perfecte strandje, voor de perfecte seks, maar was het overduidelijk: het volgende strandje wás het perfecte strandje. Dat zou het vanzelf worden, vanwege de perfecte seks die ze daar spoedig zouden beleven. Dus werkten ze zich tegen de rotswand omhoog, keken buiten adem en vol opwinding over wat er komen zou over de rand en zagen – het jacht van Ramona's ouders. Vlak na de vakantie ging het uit.

15

We rijden verder, stapvoets. De banden plakken aan het asfalt. Bernard stelt voor de radio aan te zetten; misschien vertellen ze daar iets meer over de file. Marc zoekt een radiostation, vindt een lokale zender en de bus vult zich met een mengeling van boogie-woogie, blaasorkest en chanson.

'Die Franzosen deinsen ook nergens voor terug,' constateert Marc. Maar hij rookt nu de joint die hij eerder heeft gedraaid, wat hem altijd met een roze bril doet kijken naar de merkwaardige wereld om hem heen.

Zoë daarentegen, heeft er genoeg van: genoeg van de file en van Marcs wijsheden. Ze wil stoppen en naar de wc en wel nú meteen! Eventjes tien minuten helemaal alleen zijn zonder te hoeven nadenken; uit de buurt van iemand met flauwe spreuken en belerende parabelen.

'Ik snap het wel hoor, Marc,' zegt ze. 'Je parabel. Maar beeld je vooral niet in dat je beter bent dan Ramona – alleen zoek jij niet naar het perfecte strand, maar naar de perfecte melodie.'

Marc neemt een hijs en grijnst. Hij kan het haar wel uitleggen – dat er een dunne scheidslijn is tussen 'zoeken naar het goede' en een 'ziekelijke hang naar perfectie'. Als niets goed genoeg is, dan blijf je altijd in kringetjes lopen. Er zijn zoveel mooie strandjes op deze wereld...

'Bedoel je dat je me leuk vindt?' vraagt hij.

'Verbeeld je maar niks!'

Voor Zoë wordt het in de bus steeds benauwder. Voor ons ligt Grenoble. De uitlopers van een treurige voorstad worden zichtbaar. Roestige hangars worden afgewisseld met omheinde erven, waar aluminiumprofielen, kippengaas of tegels zijn uitgestald. Daartussen ligt ook een paintball-arena, waar volwassen mannen op hun vrije avond kunnen doen alsof ze elkaar doodschieten. En het nog leuk vinden ook. Na een halfuur komt eindelijk een tankstation dichterbij. Nog twintig minuten later hebben we ook de oprit ervan bereikt.

Op het parkeerterrein is het zo vol dat we in de rij moeten voor een parkeerplek. Iedereen wil aan de file ontsnappen, de koelte opzoeken van een betegelde toiletruimte, koud water in het gezicht gooien. Zoë zet het op een holletje, Marc en Lilith volgen op veilige afstand. Bernard zoekt een leeg stukje gras en begint zich op te drukken. Bij 32 graden en een luchtvochtigheid van negentig procent. Ik klim intussen op het dak van het busje. Dat is namelijk míjn tic: ik bekijk de dingen graag van een bepaalde hoogte. Marc denkt dat dat komt omdat ik als kind te veel tijd in de verwarmingskelder heb moeten doorbrengen. Geen idee of dat waar is, want het is sinds kort niet meer belangrijk.

Vaak waren voor mijn vader kleinigheden voldoende aanleiding om mij in die kelder op te sluiten. Als je een reden nodig hebt, hoef je niet lang te zoeken. Als hij stress had, was het vaak al voldoende als ik mijn schoenen in zijn ogen niet op de juiste manier had neergezet. In de kelder zat geen deur maar een luik. Tot op ooghoogte was alles dichtgesmeerd – om de olie binnen te houden voor het geval er een gat in de tank kwam. Die was heel groot, er kon wel zevenduizend liter olie in. 'Zekerheid,' verklaarde mijn vader, 'er is niets belangrijkers in het leven.'

Na het leggen van de fundamenten van het huis, was er een kraan gekomen om de tank in de bouwput te laten afdalen op de daartoe gemarkeerde plek. Het huis is er vervolgens omheen gebouwd. Behalve dat luik was er nog een klein raampje, helemaal bovenin, om de slang door te steken als de tank gevuld werd. Tussen de tank en de muur was zo weinig plaats dat ik er alleen zijwaarts langs kon. Het rook er altijd naar benzinepomp en in de winter borrelde en boerde het in die tank.

Veel van mijn angsten zaten samen met mij opgesloten in die ruimte. Met vele ervan sloot ik na verloop van tijd vriendschappen, of op zijn minst vrede. Mijn ergste angst was dat er een gat in de tank zat, de olie eruit zou lopen en ik daarin zou verdrinken. Dus kroop ik al snel over de grond rond, op zoek naar zwakke plekken. De muren waren bewerkt met een olieverf, en er was niets om me aan vast te houden. Als de angst om te stikken zo erg werd, begon ik te tellen. Om te beginnen de even en de oneven getallen, later de wortels en bovenal priemgetallen.

Toen ik sterk genoeg was om me met mijn voeten tegen de muur af te zetten en mezelf tegen de tank omhoog te schuiven, klom ik naar boven. Ook tussen de tank en het plafond was weinig plaats, maar genoeg om languit te kunnen liggen en uit het kleine venstertje te kijken. Meestal lag ik dus op mijn rug, met mijn neus tegen het plafond, en mijn handen plat op de tank. Als die dan kolkte en borrelde, vibreerde dat tegen mijn vingers.

Moeder zei niets als vader me er weer uithaalde; ze warmde mijn eten op en ik mocht het bij haar in de keuken opeten. Dat was soms het ergste: dat ik zonder zijn hulp niet weer door dat luik naar buiten kon. Eén keer heb ik het haar gevraagd: 'Waarom doe je niets?'

'Hij is je vader,' antwoordde ze.

Terwijl mijn broek langzaam vastplakt aan het dak, komt de parkeerplaats naast de onze vrij en er schiet meteen een zwarte mini in, zoemend als een driftig insect. Twee vrouwen en een man stappen uit, ongeveer even oud als ik; hip, dynamisch, zelfbewust. Ze dragen sneakers met dure namen en zulke grote zonnebrillen dat je er veilig een vliegtuig mee zou kunnen verlaten als je een noodsprong moest maken.

'Ik ga effe drie lattes en een paar croissantjes scoren,' zegt een van de vrouwen. Ze schuift haar zonnebril als een vizier naar beneden en loopt met vaste tred naar de pomp. De man klapt intussen een aluminium picknickset uit elkaar. Vijf meter verderop duwt Bernard nog steeds gaten in de bodem: eenenveertig, tweeënveertig...

Later waaien er flarden tekst omhoog. Ze werken alle drie kennelijk in de reclame en zijn op zoek naar een sterke slogan voor een auto die nieuw op de markt wordt gebracht. Uitdrukkingen als 'interior images' en 'je down-to-earth voelen' komen voorbij.

De vrouw die 'effe drie lattes ging scoren' komt terug met een paar wegwerpbekers en een zak broodjes.

'Eindelijk even relaxen!' verkondigt ze en ze laat zich met een plof op het picknickstel vallen.

De man die met zijn rug naar mij toe zit, roept: 'Dat is het!' En hij presenteert met een swingende geste een denkbeeldige slogan: 'Relax!'

De beide vrouwen kijken hem aan alsof ze water zien branden.

16

Na Grenoble worden we weer ingehaald door de file. Dezelfde gefrustreerde gezichten, dezelfde zweetplekken onder de oksels, hetzelfde ongeduldige rijgedrag. Het wolkendek hangt nog steeds laag, maar in de verte, in het zuiden, waar ergens de zee begint, zijn knalblauwe, goudomrande banen zichtbaar. We naderen een afrit. Nu kunnen we kiezen of we het ongewisse tegemoet gaan of op het vertrouwde pad blijven. Ik neem de afrit. We draaien rondjes om een rotonde en lezen de wegwijzers, tot Marc zegt: 'Gap klinkt niet verkeerd.'

De bergen komen weer dichterbij; de weg loopt door de uitlopers. Geen van ons spreekt het uit, maar het is voor iedereen duidelijk dat we vandaag de zee niet zullen halen. Smalle straatjes voeren ons door half verlaten dorpen met vervallen huizen. Voor de deuren zitten vervallen mannetjes op vervallen stoeltjes. Aan de ramen en balkons hangen nog geraniums, roze, rood en wit, en de koeien zijn nog steeds Milka-koeien, maar het ruikt al naar het zuiden, naar stoffige bergen, machtige pijnbomen en koperkleurig licht.

Zoë's humeur begint langzaam op te klaren. Het lijkt alsof ze bij de laatste stop iets heeft achtergelaten tussen al die auto's daar. En ze heeft een geestverwant gevonden in Lilith. Ondanks al hun verschillen blijken ze veel ervaringen te delen: het spel der liefde beginnen als een femme fatale, om er gebroken weer uit te komen. Dezelfde verstoorde illusies, dezelfde pijn, dezelfde wraakgevoelens.

Terwijl Bernard net doet alsof hij uit het raam kijkt, vertelt Zoë over haar baan en Lilith over haar studie. Al snel blijkt dat ze ook interesses delen: hedendaagse kunst, eten, de laatste films. Marc begeleidt het gesprek met barokke luitmuziek. Als hij zich op zijn gemak voelt wil hij ook wel klassiek spelen. De sonates van Scarlatti. Die speelt hij bij voorkeur als hij bij mijn bouwwagen op de trap zit en het avond wordt. Hij vindt dat Scarlatti bij mij past. Toen ik hem een keer vroeg hoe hij dat bedoelde, antwoordde hij: 'Hij doet zich niet anders voor dan hij is.' Dat is bij Bach wel anders. Marc produceert de ene tremolo na de andere. Elke tweede noot krijgt een triller, gewoon omdat hij daar zin in heeft. Net dolfijnen die over golven springen.

Plotseling zegt Bernard tegen Zoë: 'Heeft Lilith je eigenlijk al verteld over haar tepelpiercings?'

Zoë staart naar Liliths T-shirt alsof ze voor het eerst de tekst erop ziet.

'Heb je die?' vraagt ze.

Lilith zwijgt even en begint dan te grinniken. 'Wil je ze zien?'

Marcs laatste tremolo blijft onaf in de lucht hangen. We beklimmen de eerste pas. De motor gaat tekeer alsof hij de bus uiteen wil rijten.

Voordat Zoë kan antwoorden draait Lilith haar bovenlichaam haar kant op, klemt haar sigaret tussen de lippen en schuift haar T-shirt omhoog. Haar borsten zijn nog groter, steviger, welgevormder dan ze onder de stof lijken. De gitaar verstomt, de motor brult. De piercings zijn allebei hetzelfde: zo'n staafje door de tepel met aan beide zijden een klein kogeltje. Bernard probeert te spieken, hij kijkt er scheel van, maar Lilith zit met haar rug naar hem toe. Zoë daarentegen, kan er niet omheen.

'Wil je ze aanraken?' vraagt Lilith.

Ze trekt haar T-shirt tot onder haar oksels. Haar ellebogen steken uit.

'Mag dat?' Zoë lijkt alles en iedereen om zich heen vergeten te hebben.

Lilith lacht schuins. Rook kringelt omhoog van de sigaret in haar mondhoek. 'Tegen jou kan ik moeilijk nee zeggen.'

Aarzelend tilt Zoë haar hand uit haar schoot, laat hem langzaam richting Liliths borsten gaan. De laatste centimeters durft ze echter niet te overbruggen.

'Niet bang zijn,' zegt Lilith. 'Ze bijten niet.'

Ze klemt haar T-shirt onder haar kin, pakt Zoë's pols beet en voert haar vingers naar haar borst. Zoë moet slikken en ik meen in de achteruitkijkspiegel Bernards halsslagader gevaarlijk te zien kloppen. In slowmotion legt Marc zijn gitaar neer en grijpt naar zijn blikje met marihuana.

Lilith houdt Zoë stevig in haar greep, letterlijk en figuurlijk. 'Ze zijn niet van suiker,' zegt ze. 'Je hebt er zelf toch ook twee. Die heb je toch ook wel eens aangeraakt?'

Zoë wil impulsief haar hand terugtrekken, maar tegen Lilith heeft ze geen schijn van kans. Haar antwoord is een zacht: 'Maar niet zo.'

Bernard staart intussen naar mijn achterhoofd. Marc heeft zijn blikje gevonden en haalt de tabak uit een sigaret en laat deze op een vloeitje vallen.

'Nou, dan wordt het eens tijd.'

Lilith spreidt Zoë's wijs- en middelvinger en brengt Zoë's hand naar haar lippen. Ze tilt haar kin omhoog, waarop haar T-shirt omlaag roetsjt tot op haar tepels, haalt de sigaret uit haar mond en omsluit Zoë's gespreide vingers met haar lippen. Marc heeft zijn blikje op de achterkant van de gitaar gelegd, en houdt zijn aansteker bij het stukje hasj. Lilith klemt de sigaret weer tussen haar tanden en voert met beide handen – er is geen ontkomen aan – Zoë's bevochtigde vingers over haar tepels. Het T-shirt schuift heen en weer over Zoë's handrug. Lilith drukt haar borst zacht tegen Zoë's handpalm en laat Zoë's vingers over haar piercing glijden.

'Cool hè,' zegt Lilith. 'Warm en koud tegelijk.'

Ze sluit haar ogen, ademt diep in. Haar borstkas verheft zich en ze legt haar hoofd in haar nek. Zoë kijkt als een mak schaap dat naar de slachtbank wordt vervoerd en zich niets heerlijkers kan voorstellen dan dat.

'Hmm,' doet Lilith.

Vlakbij mijn oor klinkt ineens de toeter van een trekker met oplegger. Een tel later breekt de buitenspiegel af en slippen we ver over de streep richting de bocht waarachter een diepe afgrond ligt. We lijken op een vrije val af te stevenen. Ik geef een ruk aan het stuur, Marc verbrandt zijn vingers, schreeuwt en de inhoud van zijn blikje verspreidt zich over de autovloer.

Lilith geeft Zoë haar hand terug, strijkt haar T-shirt glad en gaat weer recht zitten. Op haar gezicht is een mengeling van gespeelde onschuld en triomf te lezen.

'Is er iets, jongens?'

Bernard tuurt uit het raampje, Zoë probeert haar hand te verstoppen.

Marc zegt: 'Mijn blikje is gevallen.'

17

Bernard wendt zich tot Lilith. 'Wat wil je eigenlijk doen? Ik bedoel, met je studie en zo...'

Lilith maakt een beweging alsof ze een lastig insect wegwuift. Daar blijft het bij.

Bernard reikt haar een flesje isotone dorstlesser aan. Het is knalblauw; een kleur waarmee je wilde dieren zou kunnen verdrijven.

Lilith drinkt de halve fles in één teug leeg. 'Nou goed.' Ze zwijgt even theatraal en brandt daarna los: 'Ergens anders verder studeren, natuurlijk. Misschien in Berlijn – daar wilde ik eigenlijk heen. Ik wil een beroemde archeologe worden, daar brengt niemand me meer vanaf. De vrouwelijke Indiana Jones. Op mij zullen heel wat mensen hun tanden stukbijten.' Ze steekt de sigaret aan die Marc haar aanreikt. 'Tenminste, dat denk ik, verder ben ik nog niet.'

'En kinderen dan?' vraagt Bernard verder. 'Je weet wel – een gezin, een huishouden...'

'Ik snap wel wat je bedoelt, dank je, Bernard.' Lilith tikt peinzend tegen haar onderlip en denkt vast aan haar zus en haar beide neefjes. 'Ik zie wel wat er gebeurt, zou ik zeggen. Ik heb niets tegen kinderen...'

'Maar daar heb je een man voor nodig.'

'Fout. Daar heb je sperma voor nodig.'

'Heeft iemand enig idee waar we zijn?' vraagt Zoë. We worden omringd door hoge Alpen die tot in de wolken en verder reiken.

We draaien van het ene dal in het andere, terwijl achter ons de stenen kolossen weer in elkaar overgaan. Van tijd tot tijd duikt onder ons een meer op dat met knalblauw of lichtgrijs water gevuld is.

'RN 85,' leest Marc op een paaltje langs de weg.

'Zitten we op de RN 85?' Zoë is ineens klaarwakker. 'Dat is toch de Route Napoléon!'

Dat zegt Marc net zoveel als de chemische formule voor octaan. 'Dus?' vraagt hij. 'Wat is daar zo bijzonder aan – nog afgezien van het bochtenwerk?'

'Jeetje, Marc, heb jij niet opgelet bij geschiedenis?'

'Dan zat ik in het park, gitaar te spelen. Dat weet je toch. Maar gelukkig heb ik jou daarvoor.'

Hij bevochtigt een tweede filtersigaret, in een tweede poging om een joint te draaien, nu de eerste op de vloer van het busje ligt. We kijken allemaal toe. Zoë zwijgt. Ze wil graag dat hij haar ondervraagt over het onderwerp.

Als Marc eindelijk klaar is en drie hijsen genomen heeft, houdt hij mij de joint voor. 'Jij ook?'

'Volgend jaar zomer,' antwoord ik.

Van de achterbank komt Zoë's stem. 'Zeg eens, Felix, hoe houd jij het uit met Marc als-ie zo veel blowt?'

Ik ben bezig met schakelen, koppelen en 'tegemoetkomend vrachtverkeer ontwijken' en 'niet in de afgrond verdwijnen' dus antwoord kort: 'Hij houdt het ook met mij uit, terwijl ik niet blow.'

'Wat is dat nou voor een logica? Dat klopt toch van geen kanten.'

'Hoezo niet?'

'Het is toch normaal om niet te blowen.'

'Het is ook normaal om van negen tot vijf op kantoor te zitten,' antwoord ik.

Bernard voelt zich aangesproken. 'Wat is er nou verkeerd aan van negen tot vijf op kantoor zitten? Dat doe ik toch ook?'

'Ik zei ook niet dat er iets mis mee is,' verklaar ik.

'Van negen tot vijf,' zegt Zoë schamper. 'Daar kan ik alleen van dromen.'

Marc geeft de joint door aan Lilith: 'Nou, vooruit, Zoë,' hij lacht op zijn charmantst, 'hoe zat het ook weer met de Route Napoléon?'

Zoë vertelt dat deze weg zo heet omdat Napoleon destijds over deze weg liep met zijn duizend getrouwen, toen hij de macht weer wilde overnemen na zijn verbanning op Elba. Meer dan driehonderd kilometer, in één week! Allen die zich wilden verzetten, liepen binnen de kortste keren naar hem over. Vanaf Grenoble was zijn mars een grote triomftocht. Op dit smalle pad werd wereldgeschiedenis geschreven!

Daarnet zat ze nog te mopperen op Marc en zijn geblow, nu gaat Zoë zo op in haar verhaal, dat ze de joint aanneemt als deze wordt doorgegeven en zelfs een paar hijsen neemt. Het is een sterke, dat kan zelfs ik ruiken.

'Deze weg? Waar we nu overheen rijden?' vraagt Marc ongelovig.

'Te gek, toch,' vindt Zoë. 'Alleen stond er toen natuurlijk niets langs. Oe, wat schommelen we lekker!'

Lilith kijkt uit het raam om te zien hoe dat kan. De met wolken omgeven bergtoppen strekken zich uit als versteende, witbebaarde koppen op granieten schouders – de rechters over de dood en het leven.

'Heeft hij zijn eigen leger door deze bergen gevoerd, alleen om daarheen te marcheren waar hij er was uitgegooid?' De joint is weer bij Lilith beland. Ze inhaleert en denkt net zolang na als ze de rook in haar longen kan houden. 'Waarom bleef hij niet gewoon op dat eiland ijs eten en elke dag zijn rug laten masseren door een van zijn getrouwen?'

Zoë kan niet anders dan partij trekken voor Napoleon. Zij trekt nu eenmaal alfaman-achtigen, controlfreaks en egoïsten aan als een magneet. 'Hij wilde gewoon meer dan alleen maar luieren op zijn eiland.'

'Maar moest hij daarom duizenden Fransen over de kling jagen? Dan kon hij toch beter een cursus pottenbakken gaan doen, of yoga?'

'Alsof jíj genoegen zou nemen met een cursus pottenbakken – Miss Indiana Jones.'

'In elk geval zou ík geen oorlog beginnen om mijn eigen ego te bevredigen. Wat valt er daar te lachen?'

Ze doelt op Marc die stiekem voor zich uit zit te grinniken. Hij vindt het leuk als Zoë uit haar tent wordt gelokt. En nu is ze toch weer beland bij de vraag die ze vandaag niet meer wilde horen: Wat wil je met je leven?

'Ach, niks,' antwoordt hij en hij draait zijn gitaar weer om waar hij een paar trouwe akkoorden aan weet te ontfutselen.

Is dat de zin van het leven, vraag ik me af. Is het dat wat we zouden moeten willen – meer? Zou ik ook 'meer' moeten willen? En hoe zou dat eruitzien? Napoleon wilde meer van het leven, maar wat leverde het hem op? Drie maanden nadat hij weer aan de macht kwam, werd hij opnieuw verbannen. En ditmaal voorgoed.

Zoë houdt op met pruilen en gaat in de aanval. Het lijkt of Napoleon haar kracht heeft gegeven. 'Zeg jíj zelf maar eens wat je van het leven wilt,' daagt ze Marc uit. 'Jij maakt alles belachelijk, maar dat is wel heel makkelijk.'

Marc neemt voor de laatste keer een trek van zijn joint, knipt hem weg via het dakraam, legt zijn hoofd in zijn nek en kijkt toe hoe de rook, die hij naar boven uitblaast, door de wind wordt meegevoerd. Hij blijft naar boven kijken terwijl hij spreekt. 'Oké,' begint hij. 'Ik wil muziek maken, gitaarspelen. De melodie vinden die sinds gisteren door mijn hoofd spookt. En dan wil ik nog,' – hij spreidt zijn armen uit – 'zwemmen in zee, van bergtoppen naar beneden kijken, dromen en gered worden.' Hij werpt Zoë zijn meest sexy blik toe. 'En natuurlijk verliefd worden op godinnen en beestachtige seks met ze beleven – voordat alles in het niets verdwijnt.'

'Wauw,' zegt Lilith verbaasd, 'jij bent gewoon een dichter.'

Zoë laat zich tegen haar rugleuning vallen. 'Weet je wat het probleem met jou is, Marc?'

'Dat jij van me houdt?'

'Volgend jaar zomer. Het probleem is dat als jíj zoiets zegt, mensen het nog geloven ook. Ik geef het op.'

Lilith die het een principekwestie vindt voor vrouwen om zich niet meteen gewonnen te geven aan mannen, komt tussenbeide: 'Ik vind dat jij jezelf eens de beurt moet geven, Zoë. Wat Marc kan, kan jij ook. Kom op: wat wil jij nou van het leven? En geen halfzachte teksten als "wereldvrede" of meer van dat soort shit.'

Maar niets was verder verwijderd van Zoë's verlangens dan wereldvrede. Niet dat ze er wat tegen had – uiteraard niet, wie wel. Maar het was niet iets waarvoor ze 's morgens haar bed uit kwam. Als zij 's ochtends wakker werd, ging het in eerste instantie om haar eigen belangen; dat wat Zoë voor zichzelf wilde. En daar stond – ja, sorry – wereldvrede niet op de eerste plaats.

'Laat maar,' probeert ze. 'Ik ben een open boek.'

Bernard buigt zich voorover, zodat hij om Lilith heen kan kijken. 'En? Wat staat er dan in?'

Ongemerkt zijn we de hoogte in gegaan. De lucht is er helder en klaar. Je kunt de bomen tellen op de berg aan de overkant van het dal, terwijl de afstand minstens vijf kilometer bedraagt. Om ons heen geurt het naar wilde kruiden en tsjirpen de cicaden, die soms ver weg lijken maar andere keren weer heel dichtbij, maar nooit helemaal verdwijnen.

Zoë is werkelijk een open boek. Ze wil dat Ludo zijn vrouw verlaat en met haar trouwt. En niet zomaar een beetje, maar in een kasteel aan een meer, met een sluier die zo lang is dat niemand achter haar aan kan lopen, met wierook in de kerk, met taart en champagne in overvloed. Alles d'rop en d'ran. En dan: twee beeldschone kinderen, een jongen en een meisje, een mooie villa in München en meer geld dan ze kan uitgeven. Maar vooral: zekerheid. Zekerheid is heel belangrijk. Ze heeft nooit begrepen wat er zo verschrikkelijk leuk was aan de losse jaren zeventig. En verder: succes in haar werk, erkenning en verering, een vakantiehuis in Zuid-Afrika met een zwembad van twaalf meter lang in de achtertuin. Dat was het wel zo'n beetje. Te veel van het goede, zoveel is haar wel duidelijk, nou en? Sorry, jongens, jullie wilden toch de waarheid horen. Nou, dit is het.

Lilith legt haar hand op Zoë's knie. 'Niet verdrietig worden. Marc mag dan het meest romantisch zijn, jij wint in de categorie "realistische toekomstperspectieven".'

Ineens trekt iemand aan mijn oorlel. 'Felix!' Sinds ze een paar halen van de joint genomen heeft, is Lilith een beetje schalks. 'Ik denk, nu is het jouw beurt. Alles wat ik van je weet is: je slaapt niet, je eet niet, je drinkt niet, je rookt niet en je praat alleen wanneer het echt moet... maar je ademt toch wel, of niet? Haha, daar had ik je! Tja, jongen, jij moet ook, al heb je er geen zin in. Adem in, adem uit – je kunt er niet omheen. Kennelijk ben je een soort van... asceet. En dan vraag ik me natuurlijk af: Wat wil een asceet van het leven?'

Ik probeer haar af te wimpelen, net als Zoë. Liever niet. Maar de anderen laten niet los, trekken om de beurt aan mijn oorlelletje en op een gegeven moment begint zelfs Marc te grijnzen en roept: 'Diogenes! Wat wil jij van het leven, asceet? Toe, vertel, alsjeblieft!'

Ik probeer uit te leggen dat ik niet weet of ik dát ooit zal weten, en evenmin hoe het eruit zou kunnen zien, of ik het misschien niet allang gevonden heb... Maar als dat zo is, dan zou ik graag weten waarom ik op deze aarde ben.

Mijn verklaring valt niet in goede aarde. 'Kan het nóg abstracter?' roept Lilith als eerste.

En dan hoor ik mezelf zeggen: 'Ik zou graag vrede hebben met de dood.' Dan wordt me duidelijk dat dat precies is wat ik wil: niet langer bang zijn, voor niets. 'En ik wil niemand pijn doen,' voeg ik er nog aan toe.

'Boe,' roept Lilith. 'Je kunt je hele leven nog in het reine komen met de dood.'

'En niemand pijn doen,' vult Zoë aan.

'Precies,' besluit Bernard.

Marc giechelt als een eekhoorntje. Die heeft makkelijk praten. Als ik zijn talent zou hebben, wist ik precies waarom ik op deze aarde was. Het valt me op dat iedereen behoorlijk high is. Zelfs Bernard. Die heeft natuurlijk niet zelf een trekje genomen, maar de bus hangt intussen behoorlijk vol met THC. Gewoon ademhalen is al voldoende.

Zoë denkt: 'Om je geluk te vinden moet je allereerst begrijpen wat alles voor jou betekent. Jij wilt alleen maar loslaten. Maar is er niet iets wat je graag zou vasthouden?'

'Ja, asceet,' zegt Bernard. 'Wat heeft voor jou nog betekenis?' Hij is een beetje de papegaai van Zoë, sinds hij een meeroker is.

Ik denk na. Er zijn wel degelijk dingen die wat voor me betekenen. Deze reis bijvoorbeeld. Dat ik met Marc en de rest in deze bus zit en deze reis onderneem. Dat ik niet alleen ben als ik straks het huis van oom Hugo binnenga. Maar dat zeg ik niet.

In het taxibusje voor gehandicapte kinderen dat ik rijd, zit een jongen die wat voor me betekent. Benno. Het taxibusje is van een instelling voor veertig kinderen, die allemaal iets hebben wat anderen wel eens als scheldwoord gebruiken. Van 'mongool' tot 'spast'; met sommige kinderen kun je niet meer dan ze goede opvang bieden. Elke ochtend rijd ik door verschillende wijken in Berlijn om zeven van die kinderen op te halen en 's middags breng ik ze weer terug.

Benno is daar een van. Zes jaar oud. Autist. Niemand kan met zekerheid zeggen wat er in zijn hoofd omgaat, hoe hij in de wereld staat. Veranderingen zijn verschrikkelijk voor hem, vooral verplaatsingen. Als ik hem ophaal schopt hij en slaat hij en schreeuwt zijn longen uit zijn lijf, tot hij van vermoeidheid in zijn stoel in slaap valt. Ik weet zeker dat hij elke ochtend opnieuw de doodsangst uitstaat dat hij alles kwijt is: zijn kamer, zijn ouders, zijn zussen – alles wat hem zekerheid biedt. Zijn moeder staat er altijd verloren en machteloos bij als ik wegrijd en Benno tegen de ramen bonst. 's Middags is het hetzelfde: dan slaat en bijt en krijst hij omdat hij in geen geval de bus uit wil. Alsof hij zijn oma, die klaarstaat om hem op te vangen, niet ziet staan.

'Kom, Benno,' zegt zijn oma dan, 'dan gaan we naar de waskeuken, laat ik je zien waar de machines staan.' Dat is het enige waarmee ze Benno de bus uit kan krijgen zonder geweld te gebruiken. 'Kom, dan laat oma je de machines zien.'

Dan wordt hij op een zeker moment toch rustiger, blijft nog even zitten nadenken en laat zich uit zijn stoel tillen. Heel even omklemt hij nog de stoelleuning, maar de roep is onweerstaanbaar: 'Kom, we gaan naar de wasmachines...'

Twee weken geleden, het was een dag als alle andere dagen, pakte hij 's ochtends toen hij uitstapte mijn hand vast. Hij keek me niet aan of zo, maar schoof gewoon zijn hand in de mijne, bijna terloops. Toen ik hem wilde loslaten, hield hij me steviger vast. Al twee jaar haal ik hem 's ochtends op en breng hem 's middags terug, maar tot nu toe gaf hij geen enkel teken dat hij me waarnam. Nu trok hij me zachtjes de instelling binnen, liep de eerste klaslokalen voorbij, door een donkere gang die grotendeels met blauw linoleum bekleed was, tot zijn eigen groep.

Daar zat iedereen al in de kring, maar de juffen zeiden dat ik Benno maar moest laten gaan, dat hij als enige niet verplicht in de kring hoefde. Dus volgde ik hem naar de speelgoedkast, waar hij op de grond ging zitten alsof hij wilde mediteren. Ik ging zitten en pas toen hij zeker wist dat ik niet op zou staan, liet hij mijn hand los. Daarna begon hij al het speelgoed uit de kast te halen: poppen, blokken, ringen, auto's, muziekinstrumenten en nog veel meer. Al snel zaten we te midden van een berg speelgoed.

Helemaal achter op de plank lagen, op een stapel, drie oude postordercatalogi. Benno koos die van de Wehkamp. Met de catalogus voor zich op de grond, begon hij de bladzijden om te slaan. Duizend bladzijden, tien seconde per bladzijde. Hij had vandaag niets beters te doen.

Mijn bovenbeen sliep toen Benno plotseling ophield met bladeren. Ik keek naar hem en ineens begreep ik het: voor hem opengeslagen lag de bladzijde met de wasmachines. Benno keek niet terug naar mij, maar zijn blik klaarde op. Ik knikte. Daarna stond ik op. Hij vond het goed.

'Dat betekende dus wat voor je,' zegt Zoë peinzend. 'Duidelijk – kraakhelder.'

De joint heeft haar vergevingsgezind gemaakt. Eerst heeft ze met Marc vrede gesloten en nu met mij. Misschien moet ze wat vaker blowen.

'Dus je kunt toch vertellen,' zegt Lilith.

Marc, die tijdens mijn verhaal zijn gitaar heeft opgeborgen, zoekt een cd op, Jack Johnson. 'Zijn nieuwste, deze keer,' zoals hij zegt. Maar dat maakt niets uit, want ze klinken allemaal hetzelfde. Maar mooi hoor, daar niet van. 'Maakt niet uit hoe vaak je ze hoort. Altijd gaat de zon schijnen.'

Intussen is Jack Johnson begonnen met zingen – over hoe het is als je door melancholie wordt overmand, door treurnis en twijfel. Maar dat er altijd nog iets anders is: hoop, liefde, morgen.

There's a world we've never seen
There's still hope between the dreams
The weight of it all could blow away with a breeze

We zijn van de Route Napoléon af. Niemand weet meer wanneer dat gebeurde. De weg waarop we nu zijn uitgekomen is nog smaller en bochtiger, bevindt zich onder aan een steile bergwand en slingert zich om overstekende rotsblokken. Geen van ons kan zich herinneren hoelang geleden het is dat we voor het laatst een stadje passeerden, of wanneer we voor het laatst een auto tegenkwamen.

Bernard is aan de beurt. We hebben allemaal al over onszelf verteld. Zelfs ik. Ik heb verteld over Benno, mijn belevenis met hem gedeeld. Misschien heb ik hem zelfs met Benno gedeeld, op het moment zelf. Een dag later was hij net als anders. Scheen hij me niet te kennen. 'Is er ook iets wat je graag wilt vasthouden?' had Zoë gevraagd. Ik vroeg me af of dat hier van toepassing was – vasthouden. Bij Benno duidelijk niet, bij Zoë weer wel.

Voor Bernard is de vraag wat hij van het leven verlangt zoiets als de doos van Pandora. Zodra hij deze opent, onthult hij alles wat hem pijn doet. Zijn grootste wens is een soort Ludo te zijn, of Napoleon, in elk geval de grootste vis in de zee, die zijn vrouw in de steek laat. Zoë het vakantiehuis in Zuid-Afrika schenkt, mét zwembad, en alles voor haar doet wat nodig is om door haar begeerd te worden. Soms wil hij dat zo graag dat hij zijn eigen identiteit kwijtraakt. Dan weet hij niet meer wie híj is en wat híj eigenlijk wil. Maar dat zegt hij niet. Zoveel hasj heeft hij nu ook weer niet meegerookt.

Ooit had Bernard zijn hart aan iemand anders verloren, toen hij nog in het leger zat. Katharina. Hij had haar op handen gedragen, elke wens al gehoord voor hij was uitgesproken, al haar grillen en nukken vervuld. Tot Katharina zei dat hij haar benauwde, dat ze geen adem meer kon halen. God weet waar Bernard dat vandaan heeft, dat ‘zich onderwerpen’, zich kleiner maken dan hij is. Het heeft bijna iets religieus. Net als vroeger zijn teckel. Onthutsend.

Op een zeker moment ging Katharina er gewoon vandoor. Eigenlijk was ze al langer weg, in gedachten, maar nu volgde haar lichaam ook haar geest. Bernard wachtte de hele nacht op een teken van leven. Om twee uur ’s nachts stuurde hij haar een sms: Kom je nog? Het antwoord volgde direct: Ja, maar niet bij jou. Sindsdien heeft Bernard zijn hart aan Zoë verpand. Zo weet hij zeker dat hij zijn liefde nooit aan de realiteit hoeft bloot te stellen...

‘Dat wordt één grote leugen,’ zegt Lilith die Bernard na twee dagen beter lijkt te kennen dan hijzelf.

Maar dan zegt hij iets wat ons allemaal verrast: ‘Ik wou dat mijn moeder eindelijk stierf.’ Hij houdt zijn hoofd omlaag en zijn handen in zijn schoot. Het wondje op zijn duim, dat juist was opgehouden met bloeden, begint weer open te gaan. Ineens slaat hij zijn handen voor zijn gezicht. ‘Ik kan niet geloven dat ik dat net zei.’

Wij zijn allemaal doodstil, terwijl Jack Johnson juist dat doet wat hij het beste kan: een troostende hand op je rug leggen:

I see you slowly swim away
As the light is leaving town
To a place that I can’t be
But there’s no apologies

De dingen zijn zoals ze zijn.

Bernard graaft inmiddels in zijn broekzak op zoek naar het zakdoekje dat hij eerder om zijn duim had gewikkeld. Daarna zien we rode strepen op zijn wangen.

‘Sorry,’ verontschuldigt hij zich. Dan volgen er nieuwe tranen.

Zoë heeft zo’n tafeltje-dek-jehandtas, die niet groter lijkt dan een sigarettenpakje, maar waarin alles zit wat je nodig hebt om een nieuw leven te beginnen. Ze haalt er een pakje zakdoekjes uit tevoorschijn en geeft het aan Bernard. Met het eerste zakdoekje veegt hij de tranen van zijn gezicht, met de tweede snuit hij zijn neus en de derde wikkelt hij om zijn duim. Het is heel stil. Je hoort alleen het geratel van de bus en het gelijkmatige klepperen van de uitlaat.

Bernard trekt een vierde zakdoekje uit het pakje en haalt hulpeloos zijn schouders op. 'Soms...'

There's still so many things
I want to say to you
But go on
Just go on

Er zijn van die dagen dat ze niet eens haar ogen beweegt, maar er gewoon stil bij ligt, en Bernard twijfelt of ze hem überhaupt nog waarneemt. Hij denkt steeds dat ze al is overleden, maar dan begint ze weer te ademen.

Bernard bedekt opnieuw zijn gezicht met zijn handen. Er loopt een straaltje bloed van zijn duim naar beneden over zijn onderarm. 'Het is waar!' snikt hij. 'Ik wil echt dat ze doodgaat!' Hij laat zijn handen vallen, kijkt uit het raam en trekt zakdoekje nummer vijf en zes tevoorschijn. 'En tegelijkertijd ben ik er bang voor, omdat... omdat ik me gewoon niet kan voorstellen dat ze er niet meer zou zijn.'

18

Niemand weet nog hoe ver het naar de zee is. Ver weg, waarschijnlijk. Intussen hebben we de laatste wolken achter ons gelaten. Voor ons schijnt de avondzon over de weiden en rotsen en laat de nog frisgroene blaadjes zilverachtig glinsteren in het laatste licht. De bus is net een verlicht aquarium. Als ik het raampje opendraai, waait er frisse lucht naar binnen. Ik schat dat we ons op 800, misschien 1.000 meter hoogte bevinden. In de achteruitkijkspiegel zie ik vermoeide gezichten – gaar van een lange dag in de bus, van de zoektocht naar de zin van het leven, van deze weg waarover we ons voortbewegen zonder echt vooruitgang te maken.

We laten ons door Marcs joint nog dieper in de bekleding zakken. Zoë heeft al verschillende keren tevergeefs geprobeerd of haar iPhone hier bereik heeft. Want we weten niet waar we zijn.

Als we Bernards isotone dorstlesser niet hadden gehad, waren we allang uitgedroogd. Voor hetzelfde geld eindigt deze weg na de volgende bocht in een onbestraat landweggetje, waarna het overgaat in een karrenspoor tot het geheel opgaat in zijn omgeving. Eerst zagen we geen elektriciteitsmasten meer, daarna verdween de middenstreep en nu brokkelt de rijstrook aan de randen steeds meer af. Sinds Bernard zijn doos van Pandora heeft geopend hebben we geen woord meer gewisseld.

Plotseling doemt er na de volgende bocht een brug op en onder ons verdwijnt de aarde. Als je naar beneden kijkt, doet je maag ineens heel rare dingen.

'Jezus christus!' Bernards handen tasten naar iets om zich aan vast te grijpen. Ze vinden mijn stoelleuning.

'Hier heeft God flink staan hakken,' merkt Marc op.

'Dat is natuurlijk de Gorges!' roept Lilith.

Marc kijkt alsof hij niet gesjeesd is van het gymnasium, maar van de kleuterschool. 'De wat?' vraagt hij.

'De Gorges du Verdon – de grootste kloof van Europa. Dit zal een zijkloof zijn.'

'Wat bedoel je eigenlijk met "de grootste"?' vraagt Bernard. 'Bedoel je de langste of de diepste?'

'De langste én de diepste,' antwoordt Lilith. 'Toe, kunnen we niet even stoppen, Felix!'

In de bocht na de brug zien we ineens een brede strook asfalt waarop je kunt parkeren... Daar begint ook een pad, dat is versperd met een roestige hefboom. Een verlaten kioskje wacht op de bergbeklimmers en bungeejumpers die hier in juli en augustus neerstrijken. Tot die tijd zitten de rolluiken stevig dicht.

Ik parkeer de bus naast het enige andere voertuig op de parkeerplaats, een zilvergrijze Citroën. Mensen zijn nergens te bekennen. Er is alleen een schitterend vergezicht – in alle richtingen. Rotsplateaus begroeid met lage struikjes en grassen, die in de verte tegen de bergrug aangroeien. De ene berg gaat in de andere over en daarachter verschijnt weer een volgende, en zo verder; het is een nietigmakende gewaarwording.

'Laten we de brug over gaan,' stelt Lilith voor.

De boogbrug overspant meer dan 50 meter, en al na enkele passen voel je de koude lucht uit de kloof beneden met koude vingers naar je botten zoeken. Vanaf het midden van de brug openbaart zich de enorme diepte van de Gorges. Het is zoals Marc zei; net alsof God hier in blinde woede heeft staan hakken.

Bovenin is de kloof nog breed, daaronder bevinden zich plateaus, waardoor het ravijn naar beneden toe steeds smaller wordt. Weerbarstige struikjes omklemmen daar de stenen, steken hun wortels in de kieren en kloven en strekken zich uit naar de hoge zonnestralen. Verder de diepte in wordt het steeds steiler, stiller en donkerder. Nog verder naar beneden gaat de rotswand bijna loodrecht naar beneden. Ik laat een steen in de diepte vallen en tel de seconden. Ongeveer 300 meter. Op de grond lijkt het of de tijd heeft stilgestaan. Daar is de kloof maar een paar meter breed en bestaat uit niet meer dan wat witte rotsblokken en stenen – een raadselachtig maanlandschap waar het water de kleur uit heeft gewassen.

Als de sneeuw gaat smelten, verandert deze stenige rivierbedding in een nietsontziende stroom die alles meesleurt wat hij tegenkomt. Dan schuurt het water tonnen wegende brokken uit de kalkstenen wand en polijst de scherpe randen tot ze glad zijn. Dan blijft er een nieuw maanlandschap over.

Maar op dit moment is er geen beweging te zien. Van boven lijkt het een kraterlandschap, waar hier en daar een rotsblok is ingeslagen. Ondiepe kraters worden afgewisseld met diepere, die gevuld zijn met gruis. In feite zijn dat poelen, waarvan sommige een paar centimeter en andere wel enkele meters diep kunnen zijn.

Niemand zegt wat. Dit uitzicht behoeft geen commentaar. Hier past slechts nederigheid.

'Hier was Laura altijd helemaal vol van,' zegt Lilith na een tijdje. 'Hier wilde ze altijd met me naartoe. Dan zou ze me laten abseilen. Dan zou zij boven het touw vasthouden. "Op mij kun je vertrouwen," zei ze altijd. Stomme bitch.'

De zon is verder gedaald en de schaduw klimt langzaam omhoog over de steile wand. Onder ons cirkelt moeiteloos een majestueuze vogel, doet één lome slag om even verderop een nieuwe ronde te beginnen. Het ene moment neemt hij een zonnebad, het volgende vliegt hij in de schaduw. Een koningsadelaar. Het mannetje is onvermoeibaar. De paringstijd is voorbij. Het vrouwtje zit nu te broeden. In de komende maand worden met een tussenpoos van drie of vier dagen de jongen geboren. In de eerste drie dagen zal het eerstgeboren jong zo veel sterker worden dat het de beste hapjes voor iedereen zal wegkapen en zijn broers en zussen zal belagen, soms tot de dood erop volgt. Uiteindelijk loopt alles altijd uit op een broedertwist.

Als we naar de bus teruglopen, staan bij de zilvergrijze Citroën een man en vrouw verstrengeld in een innige omhelzing. Een date, denk ik. Ze hebben een geheime date. Zoë, Lilith en Bernard blijven abrupt staan. Het lijkt wel of hun passie zich in een menselijke sculptuur heeft samengebald.

'Ik kan wel kotsen als ik dat zie,' fluistert Zoë.

We lopen door naar de bus.

Het zijn Amerikanen. Ze komen net uit de kloof. Er loopt een pad naar beneden. Als de man vertelt over de afdaling, gaat zijn blik voortdurend naar Liliths T-shirt. Er zit ergens een roestige leuning in de rotswand en soms moet je met je rug tegen de bergwand voetje voor voetje voortschuifelen, maar het kán; je kunt tot onderin de kloof komen. 'It's terrific!'

'Als hij eens wist wat er op dat T-shirt stond,' fluistert Marc.

De man probeert net te doen of hij niks ziet, maar zijn ogen blijven maar afdwalen. Nog geen twee minuten geleden stond hij zijn vriendin gepassioneerd te zoenen, en nu lijkt zijn liefde voor haar als sneeuw voor de zon te zijn verdwenen. Lilith staat op haar beurt zijn vriendin te checken. En die vriendin, de laatste in deze driehoeksverhouding, probeert net te doen alsof er niets aan de hand is. Haar vriend zal ze later nog aan de tand voelen en van Liliths keurende blik wordt ze nerveus.

Het pad is niet officieel, begrijpen we, maar je kunt het wel makkelijk volgen omdat het gemarkeerd is. Iets achter de parkeerplaats begint de route. *'You have to hurry, if you still want to go down. Just follow the yellow dots.'*

De man knipoogt naar Lilith als ze wegrijden, de vrouw kijkt stuurs voor zich uit.

Liliths gezicht is opgeklaard door het idee van avontuur. Miss Indiana Jones. Ze wil de kloof in.

Marc kijkt naar mij, alsof ik het antwoord moet geven. 'Wat vind jij?'

Ook Zoë kijkt naar mij.

'Ik doe niet mee,' zegt Bernard, bij wie de moed al in de schoenen zonk toen hij een blik naar beneden wierp.

Ik kijk naar de stand van de zon. Nog een uur zonlicht, maximaal anderhalf uur. Dan wordt het donker. En koud. Ik haal mijn schouders op.

'Nou, vooruit dan!' zegt Lilith, alsof ik het teken heb gegeven.

19

Op onregelmatige afstanden komen we de gele stippen tegen waarover de Amerikaan ons heeft verteld. Eigenlijk zijn ze onnodig. Als je het begin van het pad eenmaal gevonden hebt, wijst de weg zich vanzelf. We komen ook de leuning tegen, zoals beschreven door onze voorganger, en op één plek drukt Zoë zich hijgend tegen een rotsblok aan en steunt: 'Dat durf ik niet.'

Daar staan we dan, op een richel van twee voeten breed die in een bocht van 90 graden om een rotsblok heengaat. Links de wand, rechts niets. Als je er eenmaal aan bent begonnen, kun je niet meer terug.

'"Durf ik niet" bestaat niet,' zegt Marc voor wie elke tred met zijn onbetrouwbare rechterbeen op het smalle pad een oefening in concentratie is.

En zo dalen we langzaam af in deze vreemde wereld, laten de begroeiing en de adelaar achter ons, en belanden in een schaduwrijk.

Op de bodem van de kloof aangekomen, zijn we opgelucht weer vaste grond onder onze voeten te voelen. Zoë is helemaal buiten zichzelf van vreugde.

'Jezus, dat was tof,' roept Lilith. Haar stem galmt als in een kathedraal.

We beginnen in de kloof zelf rond te struinen. Ik kom bij een blok steen dat spierwit is en zo zacht, dat ik daarna het krijt onder mijn vingernagels heb. Gedurende de dag heeft de zon de kloof lekker opgewarmd, maar nu voel je hoe de kou uit de wanden tevoorschijn komt. Ik moet denken aan Liliths woorden toen ze Zoë's hand op haar borst legde: koud en warm tegelijk.

Ver komen we niet. Bij de tweede bocht versperren drie blokken zo groot als een huis ons de weg. Daar kunnen we nog op klimmen, maar het bassin daarachter is een diepe poel – een enorm zwembad dat om de volgende bocht verdwijnt.

Niets beweegt, alles is stil. Geen cicaden, geen uitlaatlawaai, niet eens een zuchtje wind of een druppel water. Drie meter onder ons zien we de blauwe avondhemel weerspiegeld in het water. Het wateroppervlak is zo glad dat het lijkt of het zal breken als er iets in valt.

Maar dat gebeurt niet. Ik pak een steentje en werp hem in het water. Hij plonst erin met een klein geluid dat snel wegebt. Perfecte, ronde golven rollen over het wateroppervlak tot ze aan de randen komen, waar ze worden teruggeworpen en de volgende aankomende golven breken tot er niet meer te zien is dan een trillen van het oppervlak. Even later ligt de hemel weer strak aan onze voeten.

'Het was me het dagje wel,' vindt Bernard.

Als aapjes zitten we op de rotsen en staren voor ons uit.

'Ik zou graag willen weten wat zich achter die volgende bocht bevindt,' zegt Lilith.

Ik vind een tweede steen, laat deze in het water vallen en tel de seconden tot deze in het donker verdwijnt. Daarna nog een, voor de zekerheid. Na ongeveer drie meter verdwijnen ze uit het zicht, zonder de bodem te raken.

'Wat ga jij nou doen?' vraagt Marc als ik mijn schoenen uittrek.

Zonder antwoord te geven trek ik mijn T-shirt over mijn kop.

'Jeetje,' roept Lilith als ze mijn ontblote bovenlichaam ziet. 'Jij moet echt beter eten.'

Intussen ben ik gaan staan en knoop mijn broek los.

Marc wordt een beetje zenuwachtig. 'Hé, man, wat ga je doen?'
Ik vouw mijn broek op en leg hem op mijn schoenen.
'Die is niet helemaal lekker,' denkt Bernard hardop.
'Ik denk dat het diep genoeg is,' zeg ik.
En ik spring.
'Felix!' Zoë's stem komt van ver, want ik heb het contact met de aarde al verloren.
Het water is zo koud dat mijn hersenen een paar tellen nodig hebben om te bevatten hoe ijskoud het werkelijk is. Nog voordat ik de oppervlakte bereik, voel ik hoe de kou mijn armen omsluit en mijn adem afsnijdt.
Vier hoofden turen over de rots naar beneden.
'Is het niet ijskoud?' vraagt Zoë.
Ze is bezorgd, denk ik, en ik voel me gestreeld.
'Nee hoor,' roep ik. 'Lekker juist.'
Dat zou bij Marc niet werken. Hem zou niemand geloven. Maar iedereen gelooft mij op mijn woord.
Uitgerekend Marc springt er als tweede in. Als hij weer boven water is en van de eerste schok is bijgekomen, sist hij in mijn oor: 'Hier zul je voor boeten, klootzak.' Tegen de anderen roept hij: 'Heerlijk!'
Lilith staat ook op. In één beweging die Bernard als aan de grond genageld doet staan, ontdoet ze zich van T-shirt en ontbloot haar borsten.
'Is het echt diep genoeg?' vraagt ze.
Zo staat ze daar, als een amazone, alleen gehuld in een string, alsof ze de wereld wil veroveren.
'Zeker weten!' antwoordt Marc.
Ze zet haar voeten parallel naast elkaar, steekt haar armen uit, maakt een sprong, maakt anderhalve salto en springt gestrekt het water in.
Tot drie keer toe roept Bernard: 'Jullie zijn gek!' Maar als zelfs

Zoë haar T-shirt uittrekt en springt, kan hij moeilijk blijven zitten.

Hij doet het. Hij springt. Met beide ogen gesloten en dichtgeknepen neus. Ik bedenk me dat dit waarschijnlijk het moedigste is wat hij ooit heeft gedaan.

'Ik wist het!' schreeuwt hij als hij weer boven is en naar adem hapt. 'Rotzakken!'

En dan word ik door iedereen zo lang ondergehouden dat ik mijn hart voel bonzen tegen mijn schedeldak.

De poel zou geweldig passen bij Zoë's droomvilla in Zuid-Afrika – een langgerekt bad waar zich aan weerszijden grote en kleinere grotten bevinden, omsloten door hetzelfde witgebleekte zandsteen.

Bernard betast een boog, die zo naar de onderwereld lijkt te voeren. 'Het doet me denken aan *Lord of the Rings*.'

'Alleen kouder,' merkt Lilith op.

Voorzichtig onderzoekt Bernard de grot verder. 'Heeft iemand Gollum gezien?'

Ergens verderop klinkt Zoë's stem. 'Kom eens allemaal! Felix? Felix!'

We zwemmen de bocht om en vinden Zoë watertrappelend voor een overhang in de rotswand. Haar huid is doorschijnend wit en haar lippen lijken blauw. Haar haren drijven op het water en omkransen haar gezicht – ze lijkt een vleesgeworden sprookjesfiguur. Het reflecterende licht speelt over haar schouders en hals.

Haar stem klinkt angstig. 'Wat is dat?'

Vanuit het donker fonkelt ons wat tegemoet – een oog. Er lijkt een pels op het water te liggen. Daaruit steekt iets omhoog. Eerst denk ik dat het een knoestige tak is, maar bij nadere bestudering blijkt het een slagtand.

'Een wild zwijn,' zegt Bernard. 'Een mannetje.'

Zoë is allesbehalve gerustgesteld. 'En wat doet hij dan hier?'

'Dood,' zegt Lilith. 'Dat zie je toch zo. Zijn halve kop is weg.'

‘Lekker,’ zegt Bernard.

Zoë kan haar ogen er niet vanaf houden. ‘Maar hoe komt hij dan hier?’

Ik kijk langs de steile wand omhoog. ‘Hij is waarschijnlijk met het smeltwater de kloof ingespoeld en kon er niet meer uit klimmen.’

Op dat moment denken we allemaal aan hetzelfde.

‘Maar hoe komen wíj hier eigenlijk uit?’ vraagt Bernard.

De steen biedt geen enkele houvast. Er is geen richel of hoekje; niets waaraan je je omhoog kunt trekken of waarop je je voet kunt zetten. We zwemmen in een stenen fuik. Als je de waterloop verder volgt, wordt het bekken waarin wij ronddobberen afgesloten door een afgeronde steen, die als een enorme koepel uit het water steekt. Met een aanloopje en met goede klimschoenen zou je er wellicht wel tegenop kunnen klimmen. Maar niet met je blote handen. En geen van ons kan over het water lopen. De drie rotsblokken aan de andere kant van het bekken zitten zo in elkaar vast, dat het één blok vormt. Alleen daar waar ze elkaar aanraken lijkt een opening te zitten waardoor het laatste daglicht te zien is. Misschien kan een van ons zich erdoorheen persen.

‘Komen we hier ergens omhoog?’ vraagt Marc.

Ik schat de afstanden in en meet in mijn hoofd de wanden in alle mogelijke richtingen zo nauwkeurig mogelijk. Geen schijn van kans. Of er zou een vloedgolf moeten komen waardoor het water zo stijgt dat we eruit gespoeld worden. Het ene zwijnenoog knippert naar ons als het oog van een dinosaurus.

‘Niet voor het volgende voorjaar,’ antwoord ik.

Ik merk dat Bernard naast mij verstijfd raakt van angst. ‘Ik zei toch dat het een stom idee was om af te dalen.’

‘Waarom ben je dan niet boven gebleven?’ vraagt Marc. ‘Dan had je ons nu tenminste kunnen helpen.’

Bernard antwoordt niet. Een van de eigenschappen die hij van zichzelf het meest veracht is zijn besluiteloosheid. Als je maar lang genoeg aan hem trekt, gaat hij om. 'Een zwak karakter,' noemde zijn vader dat. Daarop volgde de scheiding en liet hij zich niet meer zien. Hij vond het onverdraaglijk een zoon te hebben met een zwak karakter. En nu trappelt Bernard al klappertandend in dit waterbekken. En hij wilde niet eens springen. Integendeel.

'Godver!' schreeuwt hij ineens en hij slaat met zijn vlakke hand op een van de stenen. 'Godverdegodverdegodver!'

Bernards woedeuitbarsting is net zo snel voorbij als hij is begonnen. Daarna volgt een mengeling van droefenis, galgenhumor en fatalisme.

'Jongens?' We draaien ons om naar Zoë, die achter ons watertrappelt en naar het ene oog staart. 'Ik ben bang.'

Plotseling zie ik ons van bovenaf, alsof ik op het rotsblok zit, tussen de schoenen en kleren, vijf blote gestalten die onderaan een steile rotswand in stille radeloosheid watertrappelen.

'Wat doen we nu?' vraagt Lilith.

'Wat dacht je van om hulp roepen?' stelt Zoë voor.

'Topidee,' zegt Lilith.

'Heb jij een beter idee dan?'

Ik voel mijn tenen en vingers niet meer. En ik kan ze ook niet meer bewegen. Zo begint het. Dat heb ik ooit gelezen. Zodra je lichaamstemperatuur meer dan twee graden daalt, houdt je lichaam op met het sturen van bloed naar je extremiteiten, zodat je vitale organen doorbloed blijven. Eerst lijkt het alsof je tenen inslapen, dan sluipt er een verlammend gevoel via je benen omhoog. En tot slot maakt je lichaam allerlei reflexmatige stuiptrekkingen die je niet kunt tegenhouden.

In de hoek van de bocht is het water minder ijzig, omdat het daar het langst door de zon is verwarmd. Bernard kan zich daar zelfs min of meer uit het water trekken. Als een turner hangt hij aan twee stenen. Maar verder komt hij niet. Intussen is hij ook begonnen met om hulp roepen. Ik denk dat hij het vooral doet voor Zoë. Haar angstige roepen is bijna niet om aan te horen.

'Waar is hier de warmwaterkraan?' vraagt Marc.

Hij krijgt geen antwoord. Humor werkt niet meer. Zelfs galgenhumor niet.

'Ik ben nog niet klaar met mijn song,' zegt hij.

'Alsof we daar nu iets aan hebben,' zegt Bernard.

'Tuurlijk wel. Niets wat ooit heeft bestaan, gaat zomaar verloren. Het is weer een kerfje in de matrix. Elk mooi moment, elk goed idee – jezus, wat is het koud – laat een indruk achter. Ga nou niet de discussie met me aan, Bernard, dit is er niet het moment voor. Ik wil alleen maar zeggen, als ik deze song had afgemaakt...'

'Wat dan?'

Marc zwijgt. Zelfs hij lijkt het op te geven. 'Ik weet het niet meer...'

Lilith is met haar eigen matrix bezig. 'Mijn god, kan het nóg absurder?' vraagt ze. 'Nu zit ik hier vast in dezelfde Gorges waar Laura met me naartoe wilde en waarin ze met me wilde afdalen.' En dan begint ook zij om hulp te roepen. 'Help! Godver! Help! Kan iemand ons horen? Help!'

Met het verdwijnen van het daglicht, verdwijnt iedere hoop. De streep licht die hoog aan de wand nog zichtbaar is, wordt kleiner en kleiner. Eerst kleurt hij de steen oranje, daarna maakt hij hem knalrood. Boven ons zeilt de adelaar in het avondlicht nog zijn cirkels – het is de eerstgeborene die het heeft overleefd. De andere, die hij uit het nest heeft geduwd, hebben nooit ervaren hoe het is je vleugels te spreiden en je door de lucht te laten dragen.

Drie uur geleden zaten we nog in de bus en zou ik voorbereid zijn geweest op het einde. Nu bevinden we ons in gletsjerwater, waarin de dood, via onze benen, tot ons komt. En ben ik klaar om te sterven? Ik weet het niet. Het is niet meer van belang. Vanaf mijn knieën lijken mijn benen geamputeerd. Ik raak mijn kuit aan. Niets. Geen enkel gevoel. In mijn been niet, en niet in mijn hand.

'Marc?' zeg ik.

Ik wil het moment niet laten passeren. Matrix, indruk, energie – het is allemaal hetzelfde. In tien minuten kan het voorbij zijn.

'Wat?'

'Dankjewel.'

'Hou toch op met je geklets, man. Je doet net of we al dood zijn! Wat hebben we daar nou aan? Gaan we elkaar nu allemaal vertellen hoeveel we van elkaar houden? We zijn nog niet dood en we zullen ook niet sterven. In elk geval niet hier en niet vandaag. Bedenk liever hoe we hier uit kunnen komen. Kom op, jij bent het genie! Gebruik je grijze massa eens! Er moet hier toch een uitweg zijn?'

'Nee,' antwoord ik. Intussen voelt elke ademteug als een steek in mijn longen. 'Op eigen kracht komen we hier niet uit.'

'Het maakt me geen reet uit, hóe we hieruit komen. Voor mijn part gaan jullie allemaal bidden, maar we zullen niet verzuipen in deze stinkpoel. Ik in elk geval niet. Ik heb nog zoveel plannen, man!' Marc probeert zijn vingers te bewegen, maar hij kan zijn vuisten niet eens meer ballen. Hij steekt zijn hoofd uit het water, voor zover dat gaat: 'Zeg, luister eens, God! Ik heb nog veel te veel plannen!'

'Waarom bid jij dan niet?' vraagt Bernard.

'Omdat God niet dom is, man! Zo makkelijk laat hij zich niet voor de gek houden. Als ík ga bidden, dan stuurt hij in het beste geval een bliksemflits om het proces te versnellen.'

Het laatste daglicht heeft de kloof inmiddels verlaten. Het lichtgat tussen de rotsblokken wordt donker. De verbleekte steenmassa verliest zijn contouren en hult zich als een spookachtig wezen in een bleke gloed. In een keer lijkt het tonnen aan gewicht te verliezen.

Als ook Zoë haar benen niet meer kan voelen en het einde nog dichterbij lijkt, krijgt haar geroep een panische klank.

Bernard begint te bidden. 'Lieve God...'

Ik begin te tellen. Als het einde nadert, gaat ieder daar op zijn eigen wijze mee om. Oneven vierkantswortels. De even getallen sla ik over. 1.521. Daar begin ik. Het is een van mijn lievelingsgetallen.

1.681

1.849

2.025

Bernard bidt om vergeving, heeft berouw dat hij niet sterk genoeg is geweest. Altijd deed hij het verkeerd, terwijl hij het zo graag goed had gedaan. En nooit had hij hardop de wens mogen uiten dat zijn moeder zou moeten sterven. De geschiedenis van zijn leven: nooit degene te zijn geweest die hij heeft willen zijn. En nu sterft hij ook nog eerder dan zijn moeder.

2.209, tweehonderd jaar later dan nu. Tegen die tijd zijn wij allemaal allang opgevreten door de wurmen, tot stof vergaan en al talloze malen door de natuur gerecycled.

2.401

2.601

2.809, nog een lievelingsgetal van mij.

3.249

Ik wou dat er iets was wat ik kon zeggen. Iets wat het makkelijker kon maken voor Bernard. Maar zoals zo vaak heb ik er geen woorden voor. Waarschijnlijk is dat de reden dat ik altijd zo weinig zeg. Tussen datgene wat ik voel en dat wat ik zeg, gaapt altijd een enorme kloof.

'Drieduizendvijfentwintig,' zeg ik.

'Wat bedoel je daar nou mee?'

'Die was ik vergeten,' leg ik uit. 'Drieduizendvijfentwintig. Die komt voor drieduizendnegenenveertig. Het kwadraat van vijfenvijftig.'

'Jij met je stomme getallen!' huilt Bernard.

3.481

Bernards gebed mengt zich met zijn tranen. Bad energy, zou Marc zeggen. In een halfuur is hij vermoedelijk verdronken. En alles wat ik nog zou willen zeggen, verandert daar niets aan.

3.721

3.969

Zoë's geroep om hulp wordt gehuil. Als dat van een kind. Als dat van Benno als ik hem 's morgens uit zijn wereldje ruk. Als het mijne in de verwarmingskelder. Op dat moment wordt me duidelijk dat Zoë als eerste zal verdrinken.

Ik sla de kwadraten van de getallen 66 tot 887 over. Die heb ik nooit gemogen.

7.921

Marc kijkt me ongelovig aan. Zijn huid is zo doorschijnend als een bijbelvel. 'Was dit het dan?'

8.281

8.649

9.025

9.409

9.801, het kwadraat van 99. Dat is het einde.

'Hee, Felix! Ik vroeg je wat!'

'Wat?'

'Was dit het dan?'

Ik overdenk wat ik Marc zal antwoorden, als er van boven een stem klinkt. Als deze ons bereikt, is hij zo vaak heen en weer gekaatst van de ene wand naar de andere, dat hij van alle kanten lijkt te komen en de woorden door elkaar klinken: 'Spaar jullie adem – ik ben toch niet doof!'

Secondenlang zwijgen we vol ongeloof.

'Hoorden jullie dat?' vraagt Lilith.

'Ik wel,' zegt Marc.

Lilith begint als een bezetene te lachen. 'Dat geloof je toch niet – Zoë, nu kun je ophouden. Zoë! Heb je het niet gehoord?'

Bernard, die realiteit niet langer van fantasie kan onderscheiden, vraagt heel serieus: 'Was dat God?'

'Tuurlijk,' zegt Marc en hij begint te lachen. 'Die komt hier elke avond langs om zichzelf op de borst te kloppen dat deze kloof er zo goed uitziet. En omdat jullie zulke dikke vrienden zijn, jij en God, moet je hem zeggen dat hij zich moet haasten. Hoor je dat, GOD! SCHIET VERDOMME EEN BEETJE OP! ALSJEBLIEFT! Amen.'

20

God heet Jurgen. En hij ziet er totaal niet uit zoals je je God zou voorstellen. Hij woont een halfuurtje verderop van de Artuby kloof, waarin wij vastzitten, in een klein dorp met de naam Pui. Zoals elke zaterdag heeft hij de bochtige weg naar de Gorges genomen, om hier Marie, de vrouw van de plaatselijke veldwachter, te ontmoeten.

Soms vraagt Jurgen zich af of het de hele rit wel waard is. Maar het idee dat hij hiermee Maurice dwarszit, die volgevreten bullenbak, die daarbij ook alles haat wat Duits is... ja, daar doet hij het voor.

Jurgen had motorpech. Brigitte heette ze, zijn Yamaha Genesis. 136 PS. Een fel meisje. Bij 7.000 toeren ging het nog goed. Bij 13.500 toeren hield de derde cilinder ermee op. Amper tien jaar geleden is het nu. Zat Jurgen vast in dit oord met een kapotte Brigitte en de enige in de wijde omtrek die verstand had van motoren had drie trekkers in de werkplaats staan. Maar toen was er Café Louis, en er was Jeanne, die daar werkte. En toen Brigitte weer kon rijden, had Jurgen ongemerkt zijn thuis gevonden.

De boeren in de omgeving noemen Jurgen allemaal *l'Allemand*, de Duitser. Als iemand vraagt wat hij nou precies doet, krijgt hij het antwoord dat Jurgen een 'soort van dierenarts is'. Hij geneest alles wat zich op vier poten voortbeweegt met diverse injecties.

Vroeger spoot Jurgen het spul dat hij nu aan de koeien geeft bij zichzelf in. Zoiets als Equipoise, dat het watergehalte in de spieren vermindert. Het is oorspronkelijk ontwikkeld voor de veehouderij en de paardenstoeterij, maar het werkt bij mensen even goed. Je krijgt er mooi mager, rood vlees van. Koeien zijn tenslotte ook maar mensen. Als je hen een spuit anabole steroïden in de bil steekt, dan neemt de aanmaak van eiwitten in de spieren evenveel toe als de aanmaak van vet afneemt. Iets beters bestaat niet. En het is zo makkelijk. Dat had de natuur zelf kunnen bedenken. Maar daar heb je alleen ingewikkelde processen: de fotosynthese bijvoorbeeld, of schimmelculturen – man, die zijn pas ingewikkeld! Dat kan toch allemaal veel makkelijker.

Jurgen heeft het spul in elk geval alleen maar goeds gebracht. Sterker nog: het heeft hem sterk gemaakt. En geil, net als Marie. Die is ook geil. En hoe. In elk geval is ze te geil voor haar man Maurice. Voor jeu de boules mag hij dan wel extra zware ballen gebruiken, maar in zijn broek heeft hij slechts een paar kleine knikkers.

De plek waar Jurgen en Marie elkaar ontmoeten is aan het einde van een onverhard weggetje dat gevaarlijk dicht langs de kant van een ravijn voert en niet voor het publiek toegankelijk is. Het wordt eigenlijk alleen gebruikt door de brandweer, als er in de zomer weer eens een toerist vastzit op de wand of in de kloof gestort is. Marie, die hier elke zaterdag haar rok voor hem omhooghoudt, vindt de omgeving romantisch. Voor Jurgen is dat volkomen onbelangrijk.

Hij had al zo'n voorgevoel, toen hij bij het openen van de hefboom die gare bus had zien staan op het parkeerplaatsje. Oranje en wit. Welke idioot kiest er nou oranje en wit uit voor een bus? Een homo natuurlijk, kan niet missen. Of een of andere 'bomenliefhebber', die je tegenwoordig overal in kringetjes om bomen ziet staan, waar ze samen groene energie ervaren.

Jurgen zette de leuning van de bijrijdersstoel rechtop; Marie stapte in, zoals altijd zonder iets te zeggen, en stak haar haren op.

Jurgen liet intussen zijn broek zakken en zakte vast onderuit om zich te laten pijpen, zoals elke zaterdag, toen hij plotseling een vrouw om hulp hoorde roepen, op een toon die het nerveuze getsjirp van de krekels overstemde.

Aan dat vreselijke, door merg en been gaande getsjirp heeft Jurgen nooit kunnen wennen. De Mistral die je meestal de hersenen uit de hersenpan blaast; de onverbeterlijke roddelaars die de hele dag jeu de boules spelen; zelfs de taal, het uitspreken van 'woorden die in de neus bleven steken tot je ze er weer uit moet persen' – dat is nog uit te houden. Maar die cicaden... man, die kunnen je echt gek maken. En natuurlijk de schorpioenen. Dat is het enige beest op de hele aardkloot waar Jurgen bang voor is. Die kruipen in augustus door elke kier je huis binnen. En je vindt er altijd wel meer dan één. Geen wonder, met de manier waarop die Fransen hun voordeuren maakten. Een openstaande Duitse garagedeur hield meer van die beesten tegen dan een Franse voordeur. En wat zochten ze hier eigenlijk? Het was hier toch geen Afrika? Er waren hier immers geen palmen. Ook zoiets. Nog geen uur rijden hiervandaan staan palmen, zo veel dat je de zon bijna niet kunt zien. Maar hier? Alleen maar lavendel en tijm. Wel 40 graden in de schaduw, maar geen palm te zien.

Daar was het weer. Het geluid van een vrouw die om hulp riep. Er klonk echt hoge nood in de stem. Het kwam uit de kloof. Als dat zo door bleef gaan kreeg Jurgen hem niet omhoog, al deed Marie nog zo haar best. Die boog zich al voorover.

Ze waren vast met die hippiebus gekomen. Zeker weten. Domme rottoeristen die vlak voor zonsondergang nog even afdaalden in de kloof. Die waren het ergste: domme toeristen. Dan waren het zeker geen homo's, want die durfden niet eens over de brug. *Oehoe! Hoe diep is het?* Maar waaghalzen, die durfden wel naar beneden. Dat roept een kloof nou eenmaal op; daar móet je wel naar beneden. Eigenlijk zou je ze in die gorges moeten laten overnachten.

Marie begint aan zijn lul te zuigen, maar het doet hem nog weinig. Vragend kijkt ze omhoog. Tja, wat moet Jurgen nu? Hij doet zijn gulp weer dicht en loopt naar een overhangend rotsblok, zodat hij de kloof in kan kijken. Het zijn er veel, drie of vier, er zijn ook mannen bij. Het zijn zelfs Duitsers. Hij kan ze niet goed zien, maar horen des te beter. Of ziet hij daar toch wat? In een van de bekkens glinstert het water alsof het beweegt. Sukkels.

'Spaar je adem!' roept hij naar beneden. 'Ben niet doof.'

Hij loopt naar zijn auto, doet zijn kofferbak open en haalt daar een zaklamp en een stuk klimtouw uit te voorschijn. Als Marie hem ziet gaan met het eind touw over zijn schouder, zegt ze: 'Mais pas si fort.' Als het maar niet te strak is.

'Dat is niet voor jou,' antwoordt Jurgen. 'Ga maar naar huis. Dit duurt nog wel even. We zien elkaar wel om tien uur bij mij thuis, om het in te halen.'

'Bij jou thuis?'

'Da's toch prima? Het hoogseizoen gaat vandaag beginnen, dus jouw man gaat vandaag zijn ballen laten zien op de boules-baan en Jeanne werkt tot middernacht bij Café Louis.'

21

'Die schreeuwt als een mager speenvarken!' De stem van Jurgen komt dichterbij. Hij klinkt weinig goddelijk. Halverwege de steile wand flitst ineens een wit licht. 'Hou eindelijk eens op met dat gekrijs! Als je weet dat je gered gaat worden, kun je daar gerust mee ophouden.'

Dat klopt wel, denk ik. De mens wordt op de been gehouden door hoop. Intussen word ik me ervan bewust dat ik de steen onder mijn vingers niet meer voel en mijn hand er steeds af glijdt, zonder dat ik er iets tegen kan doen. Ik word langzaam maar zeker opgenomen in het water; het water dat inmiddels mijn nek omvat en zich boven mijn hoofd wil sluiten. Zoë's geroep weerkaatst over het wateroppervlak. Lilith en Marc hebben geprobeerd haar rustig te krijgen, maar ze kan er niet mee ophouden. Ze klampt zich aan haar eigen geroep vast als aan een laatste strohalm – zolang ik roep, kan ik niet doodgaan. Mijn lichaam wordt loom, mijn armen zwaar. Ik zie het oppervlak op me afkomen, maar weet weer boven te komen en door te ademen.

Op de rots waarvandaan we in het bekken zijn gesprongen verschijnt Jurgen. Hij stelt zich wijdbeens boven ons op. Als een jager die kijkt wat hij in zijn strik heeft gevangen. Hij zoekt naar houvast voor zijn voeten, knoopt een stuk touw aan een kant tot een lus en bindt het andere eind om zijn middel.

'Eerst die schreeuwlelijk,' zegt hij.

Tegen de avondlucht kan ik zijn silhouet zien. Een zwarte schaduw met een stem die uit de rots lijkt te komen. Het komt waarschijnlijk door die stem dat ik denk dat hij ons, zodra hij Zoë uit het water heeft getrokken, zal laten verzuipen.

Maar we hebben geen keus. Zoë schreeuwt niet meer. Haar adem komt in horten en stoten en ze kan zichzelf maar amper boven water houden. Dan verdwijnt haar hoofd onder water en probeert ze met panische bewegingen weer boven te komen. Zij moet er echt als eerste uit.

Bernard pakt haar taille beet en trekt haar achter zich aan naar het rotsblok. Ze beweegt niet, maar ik hoor haar adem en zie haar ogen in de schemering glinsteren. Ze werpt mij een blik toe. Ik begrijp niet wat ze ermee bedoelt, omdat hij me te geheimzinnig voorkomt. Weet zij soms ook wat Jurgen van plan is? Ik wil graag helpen, maar mijn handen zijn kromgetrokken en ik kan ze niet meer bewegen. Maar Marc en Lilith zijn er en zij doen de lus om Zoë's bovenlichaam. Beetje bij beetje wordt ze omhooggetrokken, tot ze helemaal boven het water zweeft, met haar bleke armen slap langs haar lichaam, haar borsten geplet door het touw en haar benen spartelend op zoek naar houvast.

Jurgen trekt Zoë de overhang op, pakt met twee handen de lus beet en sleept haar als een gevangen vis tussen zijn beide benen naar achteren, zodat ze er niet weer in kan glijden. Nu heeft hij wat hij hebben wil.

We zullen sterven. Dat weet ik zeker. De steken in mijn borstkas zullen me spoedig het ademen onmogelijk maken. Mijn hart klopt voor zijn leven. Maar het heeft toch geen zin meer. Het diepe zwart van het water lonkt. Elke ademhaling echoot tegen de stenen helling. Ik heb wel eens gelezen dat het heel snel kan gaan – verdrinken. Veel sneller dan je denkt. De ademreflex kun je ongeveer een minuut lang onderdrukken, maar dan dwingt deze je longen zich te vullen met water. Daarna ben je verloren. Het akeligste gedeelte – de spasmes, de laatste bewuste momenten – neemt het lichaam met zich mee.

Ik hoop dat ik de laatste ben. Ik wil niet dat de anderen mij zien sterven. De slagtand van het zwijn schemert boven de oppervlakte als een verdwijnende herinnering. Het water komt in mijn neus. Nog eenmaal hef ik mijn hoofd op en zie hoe de rotsblokken boven mij uitsteken.

Lilith fluistert wat, het kruipt over het water mijn oor in. 'Je gaat nu toch niet verzuipen, hè?'

'Maak je geen zorgen.' Het zijn mijn laatste woorden. 'Ik wacht op jullie.'

Ik voel mijn lichaam niet meer. Aan de lucht denk ik de eerste ster te herkennen, de avondster. Maar het kan zijn dat ik het me verbeeld. Het maakt niet uit; hij is mooi.

Ik glijd door het water zonder me te bewegen. Naast me zwemt een schaduw – Marc. Ik begrijp dat ik níet de laatste zal zijn. Mijn beste vriend zal me zien verdrinken. Ik wil hem zeggen dat het me spijt, maar mijn lippen bewegen niet meer. Doet er ook niet toe. Hij weet het zo ook wel.

'Tot zo,' zegt hij.

Ik probeer te lachen. Er spant iets in mijn borstkas. Ik voel ineens een knallende koppijn, die bij alle synapsen tegelijk aankomt. Ik zie hoe het water onder mij steeds lager wordt. Ik zie de hoofden van de anderen. Dan verlies ik het bewustzijn.

22

‘Door jullie heb ik vanavond niet kunnen neuken.’ Terwijl Zoë iets droogs aandoet, bekijkt Jurgen zonder schroom haar lichaam. ‘Maar dat haal ik wel in,’ denkt hij.

We zitten in de bus, ingepakt in de vieze dekens waarmee Marc de instrumenten, monitoren en versterkers beschermt als hij met de band op stap is. Als er ergens in mijn lichaam nog één spier is die geen pijn doet, dan zou ik dat graag weten.

Anderhalf uur duurde de klim naar boven. Op de moeilijkste plekken had Jurgen de zaklamp tussen zijn tanden geklemd en Zoë als een zak kolen over zijn schouder geworpen. Intussen is het aardedonker geworden. Het lampje in de bus is de enige lichtbron in een omtrek van twintig kilometer. Voor de muggen en andere insecten is het feest.

Jurgen heeft zijn auto gehaald, een tas van de achterbank genomen en daar een mapje uitgehaald. In het mapje liggen in op maat gemaakte schuimrubber vakken een paar rijen glazen ampullen.

‘Bent u arts?’ vraagt Lilith.

‘Zoiets.’

‘En wat zit daarin?’ wil Bernard weten.

Jurgen slaat een insect van zijn onderarm, breekt een ampul open en trekt de inhoud in de injectiespuit. ‘Dit hier,’ antwoordt hij terwijl hij alle luchtbellen uit de spuit klopt, ‘staat gelijk aan vierentwintig kilo fruit. En er zit ook een beetje cafeïne bij. Als je dit geeft aan een koe die kalft, dan perst ze in twee minuutjes haar kalfje eruit. Armpjes omhoog.’

Jurgen zegt het op zo’n manier dat niemand op het idee komt

hem tegen te spreken. Om de beurt krijgen we een ampul ingespoten.

Jurgen kijkt op zijn horloge. 'Voor de tweede keer in drie uur niet kunnen neuken – jullie worden bedankt.'

Met deze woorden stapt hij in zijn auto en racet de parkeerplaats af. Het stof verdwijnt in de bus. Als zijn achterlichten de bocht om verdwijnen, zegt Lilith, 'Dankjewel.'

Zoë heeft nog niets gezegd. Gewikkeld in haar deken zit ze op de achterbank en werpt me dezelfde blik toe als daarstraks in de kloof – voordat Jurgen haar uit het water viste.

De intraveneuze cocktail van fruit doet zijn werk. Het voelt alsof ik op het elektriciteitsnet ben aangesloten. Ik ben klaarwakker, maar toch kan ik de kracht niet vinden om de schuifdeur dicht te doen.

'Ik heb niets tegen vierentwintig kilo cafeïne en wat fruit,' zegt Lilith, terwijl ze naar haar bevende handen kijkt, 'maar als ik niet snel wat te eten krijgen, kunnen jullie me morgen aan die adelaar voeren. Kun je nog rijden, Felix?'

Een halfuur rijden tot aan het dorp Pui, heeft Jurgen gezegd. Ik knik. Een halfuur kan ik het wel uithouden op die shot. Met de anderen is het net zo als met Lilith: een koninkrijk voor een gegrilde paardenbiefstuk! Ik haal de sleutel uit mijn zak.

'Oké, Felix.' Het zijn de eerste woorden van Zoë sinds we gered zijn. Het zijn er maar twee, maar ze zijn genoeg om alle aandacht te krijgen. 'Jij was bereid, daar beneden, de dood te aanvaarden,' steekt ze van wal. 'Ik zag het in je ogen. Nou, gefeliciteerd: het was een geweldige show. Maar weet je wat? In plaats van bewondering te voelen, heb ik alleen maar angst gehad. Ik heb medelijden met je, Felix, echt waar. En weet je waarom? Je was alleen maar bereid de dood onder ogen te zien, omdat je zo weinig aan het leven hecht. Heb je zoveel haast, dan? Nee, met loslaten heb jij geen enkele moeite.' Ze kijkt naar buiten, waar het aardedonker is. Het enige wat ze kan zien is haar eigen spiegelbeeld in de ruit. Niets beweegt, alleen de insecten die om de lamp dansen. 'Je hoeft geen antwoord te geven. Rij maar gewoon.'

Ik doe de kaartleeslamp uit, draai de sleutel om en laat de bus van de parkeerplaats rollen.

We kruipen via een eindeloze reeks haarspeldbochten naar het dal, waar we om een meer heen geleid worden. Aan een strandje ligt een rij kano's, als een stel gestrande dolfijnen. Aan de andere kant wentelt de weg zich weer omhoog, dwars door een bos, dat abrupt ophoudt bij een plateau – een onmetelijke vlakte waarvan het einde in de nacht verdwijnt. Het lijkt een heel andere dimensie; ergens waar toekomst en verleden elkaar in de staart bijten.

Tijdens de rit zegt niemand een woord. Zoë's opmerkingen liggen iedereen nog te zwaar op de maag. Af en toe tuurt een stukje maan over de rand van een wolk en schijnt haar bleke licht op de aarde. In de bus ruikt het naar natte hond. Op een zeker moment verrijzen de lichten van een veraf dorpje uit de vlakte op als ware dit een buitenaards schip. Vijfenveertig minuten heeft onze rit naar dit kleine gehucht geduurd. In het gele licht van de straatlantaarns zwermen talloze insecten. Pui. Eindelijk.

23

Op het moment dat we Pui in het oog kregen, had het 627 inwoners. Hoogstwaarschijnlijk. De meesten sterven ongemerkt. Het dorp implodeert. Elke maand is er een inwoner minder. Nieuwkomers zijn er nauwelijks. De laatste geboorte dateert van 2001 en werd gevierd als een wederopstanding.

Maar zo'n twintig, dertig jaar geleden was dat wel anders. Toen was er een school, een kinderarts, een bank, drie restaurants, vier café's en zelfs een bioscoopje met 72 stoelen. Dat werd gerund door Jacques, de kioskhouder en tevens gepassioneerd filmliefhebber. Hij verwisselde elke vrijdag- en zaterdagavond de filmrollen.

Het verlichte uithangbord hangt nog steeds aan zijn gevel en schijnt elke avond over een verlaten parkje, in de hoop op een opleving van die goede, oude tijd; in de hoop op hangjongeren en leven in de brouwerij en de geur van gitanes en crêpes. De zwarte letters zitten er nog op. *Les liaisons dangereuses* staat er; de laatste film die Jacques hier heeft gedraaid, in 1988, voor drie betalende toeschouwers. Sindsdien wordt in Pui niet meer geleefd, alleen maar gestorven.

Toch is het vandaag een bijzondere dag. Gedurende één lang weekend krijgt Pui zuurstof toegediend. In de achterafstraatjes merk je het niet, maar op het plein des te beter. Het eerste jeu-de-boulestoernooi van het jaar; het begin van het hoogseizoen. Dat vindt nog steeds in Pui plaats. En zodra dat voorbij is, is alles er weer even doods als eerst. Léon Bertou, de burgemeester is vanochtend hoogstpersoonlijk op een keukentrap geklommen om in de stroomkast die in de grote plataan hangt de zekeringen na te lopen. Daarbij heeft hij, waar nodig, nieuwe 'peertjes' ingedraaid; ook al is het strikt genomen halogeenverlichting. 's Middags kwam de kiepwagen met kiezels uit Riez.

Die was nog niet leeggekiept, en Léon had Alphonse net uitgelegd hoe het spul moest worden uitgereden, of daar was het reizende circus al, met alle zes de woonwagens. Léon begeleidde ze met de nodige complicaties door de nauwe straatjes naar het veldje van Gérard, die het elk jaar ter beschikking stelde aan de circusdieren. Morgen, als het zondag is en het boulestoernooi is afgelopen, is het dorpsfeest en dan geeft het circus een speciale voorstelling.

Bij Hélène is het de hele dag al topdrukte. Zij heeft de enige kapsalon in het dorp. Echt knap knipwerk is er de laatste jaren niet van gekomen voor Hélène, maar de verflust van haar clientèle maakt veel goed. Gilbert, de vader van gendarme Maurice, die vroeger in het verzet zat, heeft het monument voor de gevallenen met een nieuwe krans versierd. Louis heeft de voorraad Pernod in zijn kroeg aangevuld en Jeanne heeft de plankenvloer liefdevol geschrobd met extra veel zeep en het snoer bontgekleurde lampjes opgehangen, van de gevel van de kroeg tot bij het terrasje op het plein.

Naast de kleine kerk is een provisorisch podium opgericht, waarop een grijs trio oude klassiekers ten beste geeft. Een twintigtal mensen staat ernaar te kijken, sommigen maken zelfs heupbewegingen en een enkeling klapt mee. In hun midden danst vrolijk de dorpsgek mee. Op het dorpsfeest is plek voor iedereen en het jeu de boules is het spel dat hen allemaal verenigt en geen sociaal onderscheid maakt. Tegenover het podium heeft een pizzabakker zijn wagen neergezet. Het verspreidt de rook van een houtoven en de geur van provençaalse kruiden en gesmolten kaas. Een eindje verderop, aan de rand van het plein wacht de circustent op zijn gasten.

De ster van de avond is Jeanne. Met de mengeling van tragiek en hoop die haar eigen is, heeft ze iets weg van Michelangelo's pietà. Met het ophangen van de gekleurde lampjes naar het terras, heeft ze onwillekeurig een podium voor zichzelf gecreëerd. Het publiek, dat zich aan de tafels aan het plein heeft verzameld, bekijkt haar optreden met steelse blikken en slinkse hoofdbewegingen. Er zijn heel wat spelers uit de omgeving die bij de opening van het boulesseizoen hun vrouwen en kinderen thuislaten.

Alphonse, die intussen aan zijn achtste glaasje rood is en Jeanne aanbidt, sinds ze samen de basisschool aan de dorpsstraat doorliepen, bezet vanaf het begin van de middag zijn vaste plaats naast de ingang van het café. Steeds als Jeanne uit de bar komt en met het blad hoog de straat oversteekt, volgt hij haar doen en laten. En elke keer als ze weer terugkomt, ontfutselt hij haar een glimlachje, dat hij als een kostbaar kleinood bewaart bij alle andere die ze hem ooit schonk. Alphonse heeft kisten vol van deze juwelen; een hele kamer kan hij ermee vullen. Alle zitten tjokvol met Jeannes terloopse opmerkingen en gebaartjes aan zijn adres. Bijzondere zaken hebben een ereplaats. Dat zijn speciale attenties als een hand op zijn arm of een stuk zelfgebakken taart bij zijn kopje koffie. Alphonse heeft niet veel gezien van de wereld, maar niemand bakt een betere appeltaart dan Jeanne.

Net als Alphonse behoort ook Jeanne tot het handjevol achterblijvers. Zo'n beetje al haar vrienden hebben Pui verlaten. Sommigen zitten in Marseille of Parijs; anderen hebben hun heil gevonden in het buitenland, in Kenia of in New York. Zelf heeft ze voor dat soort ingrijpende beslissingen nooit de moed kunnen vatten. Ze had graag een kunstopleiding gedaan in Aix. Tekenen. Aix is niet ver. 'Kindje, wat kun jij toch mooi tekenen,' zei haar grootmoeder altijd. Maar alleen bij de gedachte dat ze met een map werk onder de arm voor een tribunaal kunstdocenten moest verschijnen, sloeg de angst haar al om het hart. Dus bleef ze al die tijd, want ze deed het al sinds haar schooltijd – het mooiste, maar schuchterste meisje – bij Café Louis bedienen. Maar ze is door de jaren niet getekend. Ze is amper veranderd.

De aanstelling van Jeanne was de eerste officiële handeling die Louis verrichtte toen hij de bar met dezelfde naam van zijn vader overnam. Hij was destijds 36, Jeanne was 16. Tegenwoordig is hij 56 en Jeanne zo oud als hij destijds was. De andere kroegen zijn een voor een gesloten. Alleen Café Louis niet. Jeanne bleek voor de bar van vitaal belang te zijn. Talloze keren heeft Louis haar aangeboden de zaak gezamenlijk te runnen, maar Jeanne wilde liever in dienstverband werken. De verantwoordelijkheid schrok haar af, en bovendien had ze daarmee definitief haar dromen laten varen, die ze vandaag de dag nog heeft.

Café Louis is de hele dag geopend. Wie wil, kan hier zelfs ontbijten met café au lait en een halve baguette met Jeannes huisgemaakte abrikozenjam. 's Avonds, als het een echte kroeg wordt, staat Jeanne een paar uur achter de toog en Louis op de boulesbaan. Het is geen sprookjesleven, maar slecht is het ook niet. Het is zoals het is, en zo heeft Jeanne ervoor gekozen.

Maar wat Louis tot op de dag van vandaag niet begrijpt is haar relatie met Jurgen. 'Dan had ik nog liever Alphonse gehad,' was zijn commentaar. Tien jaar lang heeft het dorp zitten wachten wie de gunst van Jeanne zou winnen, en dan verliest ze haar hart aan een biker op doorreis.

Jeanne had het Louis graag uitgelegd, waarom het nou uitgerekend Jurgen moest zijn, maar ze begrijpt er zelf niets van. Niet echt, tenminste. Jurgen is een macho die te veel drinkt, die grof en zelfs humeurig kan zijn. En de ander heeft het altijd gedaan. Bovendien scharrelt hij met Marie en wie weet met wie nog meer. Toch houdt hij van Jeanne. Als je het zo mag noemen. Hij gebruikt haar. In elk geval is hij er altijd. Als er iets kapot is, dan maakt hij het. En hij slaat haar niet. Het kan zijn dat er betere redenen bestaan om iemand trouw te blijven, maar dat geldt voor alles: het kan altijd beter. Bovendien: vind maar eens een geschikte kerel in deze streek. Want ze lopen hier ofwel tegen de honderd, ofwel ze hebben zo weinig verstand dat ze hier nog steeds rondhangen…

En nu is het sowieso te laat. Jurgen zou een scheiding niet kunnen accepteren. Afgelopen zomer heeft hij zelfs een toerist in het voorbijgaan met zijn kop tegen de bar geslagen, gewoon, omdat hij naar de kont van Jeanne keek.

Eerder die avond had ze Jurgen het dorp zien verlaten. En kort daarop Marie. In dezelfde richting. Net als elke zaterdag. Jeanne vraagt er niet naar. Ze weet het toch. Het hele dorp weet het, zelfs Alphonse. Alleen Maurice, Maries echtgenoot, weet van niets. Maar die weet eigenlijk niets. Voor hem is het leven één groot western-gebeuren, zeker nu hij een uniform en een echt pistool draagt.

Ook Louis heeft Jurgen voorbij zien rijden. En Marie. *Hoelang wil je hier nog bij staan kijken?* zei zijn blik, toen hij het blad naar haar toeschoof over de bar. Elke zaterdag kennelijk. Maar het ergste waren de meewarige blikken van Alphonse: *Waarom heb je mij niet uitgekozen? Ik zou je elke dag van je leven op handen dragen. En dan had ik ook niet hoeven drinken.* Wat was nou treuriger dan het medeleven van een meelijwekkend mens?

24

Vlak voor het dorp is een splitsing. Of je rijdt naar het dorpscentrum, of je rijdt er omheen. Boven de splitsing hangt een meer dan levensgrote Jezus onder een straatlantaarn en kijkt meevoelend naar de weggebruiker: links of rechts. U mag kiezen.

'Wauw,' zegt Bernard, als we het dorpsplein bereiken, 'Echte mensen.'

En daarmee is het grote zwijgen doorbroken.

'Eten!' roept Lilith. 'Ik móet wat eten!'

Rondom het plein is geen parkeerplek te vinden en de straatjes zijn zo nauw dat je ze zou blokkeren als je er een auto parkeert, ik keer dus de bus en zet deze naast de doorgaande weg. Pas als we zijn uitgestapt en 300 meter moeten lopen naar het plein, beseffen we hoe erg we eraan toe zijn.

'Jezus, ik lijk wel een pasgeboren veulen,' merkt Lilith op, en daarmee zegt ze alles.

Toch kan ze nog wat laatste energie aanboren als blijkt dat, bij aankomst op het plein, voor onze neus de pizzawagen zijn luiken sluit. De geur hangt nog in de lucht en Lilith bonst op een van de luiken.

'Fermé!' klinkt een stevige vrouwenstem van binnen. 'Geloof je het zelf,' mompelt Lilith, die om de wagen heenloopt en de achterdeur opentrekt.

Tien minuten later worden ons door een kier vijf volle pizzadozen aangereikt.

Geen van ons kan nog staan. Zoë, die een beetje Frans spreekt, vraagt aan de serveerster, Jeanne, of we met onze pizza's plaats mogen nemen op het terras.

'Naturellement,' antwoordt ze lachend.

Dat is het moment waarop er iets merkwaardigs gebeurt met Marc, die altijd tegelijkertijd ongrijpbaar lijkt en toch zo helder als een C-akkoord. Hij is een uur geleden bijna verdronken, en hij weet dat het leven zo voorbij kan zijn. Dat elke verspilde kans een doodzonde is. En nu staat Jeanne daar, met haar treurige lach. Zijn nekhaar gaat overeind staan – Marc voelt duidelijk hoe het tegen de stof van zijn capuchon aandrukt. Daarbij komt dat hij flauw is van de honger maar wel 24 kilo cafeïne toegediend heeft gekregen, zoals Lilith denkt, en zijn lichaam chemisch niet in balans is.

Nog voordat we kunnen gaan zitten, zegt hij, met een blik naar de bar: 'Waar hebben ze háár vandaan gehaald?'

Bij Lilith hebben de afgelopen uren haar behoefte aan drama voorlopig gestild, dus zegt ze: 'Vind je díe aantrekkelijk?' wijzend met haar half afgekloven pizza.

'Voor haar zou ik meteen een beter mens worden!' roept hij en het is niet uit te sluiten dat hij dat echt meent.

'Maar ze is toch veel te oud voor jou,' doet Zoë een duit in het zakje.

'Ik heb niets tegen rijpere vrouwen,' zegt Lilith. Ze bedoelt vrouwen van over de dertig. 'Met hen heb je altijd betere seks. Ja, kijk maar niet zo, Bernard. Ik weet niet hoe het bij jullie zit, maar ik vind vrouwen onder de dertig' – hierbij kijkt ze met een scheef lachje naar Zoë – 'lichamelijk gewoon nog niet af. Tenminste, dat geldt voor degenen die ik in mijn bed heb gehad. En dat waren er nogal wat.'

'Wat is dat toch met jou?' vraag ik. 'Je bent zelf pas achtentwintig?'

'Hoe weet jij dat nou?'

'Je vertelde dat Laura achtendertig was toen jullie wat kregen en dat is twee jaar geleden en als zij twaalf jaar ouder is, dan is het rekensommetje…'

'Zo snel als een raket, jij,' onderbreekt Lilith me. 'Ja, ik ben achtentwintig. Maar ik ben een uitzondering.' Ze schuift een tweede stuk pizza naar binnen. 'Marc, heb ik het goed begrepen dat jij graag zou willen dat zij jouw passie beantwoordt?'

Marc doet niet meer mee aan het gesprek. Hij hoort Lilith nauwelijks. Jeanne is voor hem als een sprookje. 'Doornroosje.'

'Je bent gewoon gek,' vindt Bernard.

'Kus haar dan wakker,' stelt Lilith voor. 'Ze vraagt er gewoon om.' Haar doos is leeg. De anderen zijn hooguit op de helft. 'Kan me niet herinneren dat een pizza me ooit zo goed gesmaakt heeft. Heeft iemand nog wat over?'

Ik schuif mijn doos haar kant op.

Lilith bestudeert mijn pizza, fronst haar voorhoofd en schuift hem terug. 'Van een manke pak je ook de krukken niet af.'

Als Jeanne naar onze tafel loopt en met al haar tragische schoonheid onze bestelling opneemt, kan Marc bijna niets uitbrengen.

'Wijn,' stamelt hij. 'Alstublieft.'

'Rouge, rosé ou blanc?'

'Rood, rosé of wit,' vertaalt Zoë.

'Dat kan ik ook nog wel verstaan,' haast Marc zich te zeggen. 'Zeg maar dat ik alles wil. En een fles water voor mijn nonalcoholische vrienden.'

'Meent ie dat nou?' vraagt Bernard. 'Wil jij nu wijn drinken?'

Marc pakt zijn laatste stuk pizza en vouwt het dubbel als een boterham. 'Kun jij één reden bedenken waarom we nu géén wijn zouden drinken?'

Bernard slaat zijn ogen neer. 'Nee,' geeft hij toe.

Het was een warme dag. En veel te droog voor het seizoen. Als dat zo doorgaat, komen er problemen met het drinkwater in augustus. Worden de kieren in de muren zo groot dat je er je vinger in kunt steken. Pui ligt op de hoogvlakte als op een presenteerblaadje. De hele dag heeft de zon alle vocht uit de voegen van de muren getrokken, waardoor de huizen nu pas kunnen uitpuffen en hun warmte op het plein afgeven.

'Hè, hè, ik leef weer een beetje,' zegt Lilith, en ze pikt met haar vingers de laatste kruimels uit haar pizzadoos.

Na de eerste fles wijn zijn we allemaal weer opgewarmd. De vermoeidheid hangt over ons heen als een zware deken. Maar ook de fruitcocktail van Jurgen doet zijn werk nog. De magere klok die in de kerktoren hangt, slaat twaalf uur.

'Dit was, geloof ik, de langste dag van mijn leven,' zegt Bernard. Hij verdeelt de tweede fles over de glazen.

Als die ook leeg is, zijn we lamgeslagen van vermoeidheid.

'Heeft iemand enig idee waar we gaan slapen?' vraagt Lilith.

De anderen zijn te moe om te antwoorden.

Zoë meldt zich bij Jeanne, die er elke keer als ze zich meldt bij ons tafeltje, een beetje treuriger uitziet. Ze vraagt of er ergens in de buurt een hotel is.

Dat was er ooit, maar nu niet meer. Het dichtstbijzijnde is in Riez.

'C'est combien de kilomètres d'ici?' vraagt Zoë.

'À peu près dix,' is het antwoord. Tien kilometer, *'En cette direction.'* We volgen haar blik naar de hoofdweg en het einde van het dorp.

We kijken elkaar aan. Tien kilometer is te ver weg. Eentje is al te ver. Vandaag komen we niet meer weg uit Pui. Die paar honderd meter lopen naar de bus is al te veel.

Lilith trekt een tweede stoel naar zich toe en legt daar haar benen op. 'Wat mij betreft kunnen we hier gewoon blijven zitten.'

'En dan?' vraagt Bernard.

'Niets. Om negen uur gaat de bar weer open en dan bestel ik een koffie.'

De musici pakken hun instrumenten in. De lampen gaan uit. Maar op de door platanen omringde boulesbaan heerst nog volop bedrijvigheid. Het felle tikken van metalen ballen die elkaar raken klinkt nog door het nachtelijke dorp, gevolgd door een respectvol gemompel als het een speler lukt van tien meter afstand een vijandelijke bal weg te stoten. In het felle halogeenlicht ziet het speelveld er bevreemdend uit.

Ook de derde fles raakt op. Ieder is verzonken in zijn eigen gedachten. De mijne voeren terug naar de kloof. Ik vraag me af of Zoë gelijk heeft en ik echt bereid was te sterven, omdat ik te weinig aan het leven hecht. Ik weet het niet. Wat ik wél weet is dat Zoë de hele tijd bezig is met vasthouden en dat ze daar ook niet gelukkig van wordt. Misschien is het beter elkaar tegemoet te komen.

Ook vraag ik me af wat er van Hit-and-run zou zijn geworden als ik verdronken was. Misschien zou Achmed hem na een paar dagen meenemen, onder zijn arm, hem neerzetten op de stoel naast hem in zijn BMW, waar alle geile wijven altijd zitten, hem onderweg op volle sterkte Bushido laten horen en dan thuis voor hem een krabpaal neerzetten. Waarschijnlijker is het dat Achmed af en toe een blikje kattenvoer voor hem zou brengen en hem verder aan zijn lot zou overlaten. En elders zijn nachtelijke biertje zou nuttigen. In elk geval was de vos er nog.

Hoelang zou een kat je missen? Hoe lang zou Hit-and-run om mijn bouwkeet heen sluipen voordat hij mij zou opgeven en vergeten? Twee weken? Of drie? Een maand misschien? Of maar een paar dagen?

Ongemerkt wordt het plein leger; de een na de ander verdwijnt in de nauwe straat of rijdt zachtjes het dorp uit.

'Ik kan het nog steeds niet geloven,' zegt Lilith. 'Als die pitbull op twee benen niet was langsgekomen, dan waren we nu allemaal kopje onder gegaan.'

'Dreven we daar samen met dat wilde zwijn,' zegt Bernard.

Lilith spoelt dat beeld weg met een laatste slok rode wijn. 'Het leven is als een toverbal.' Ze haalt haar schouders op. 'Tenminste, dat heb ik wel eens gelezen.'

'Eerder een verrassingsei,' vindt Zoë. 'Als je zo'n speeltje in elkaar zet en die chocolade opeet, ben je zo blij als een kind. Maar zodra het op is, merk je dat het speeltje een prul is en je van de chocolade alleen maar honger krijgt en vet op je heupen.'

Marc is nog steeds in trance. Alsof door de afdaling in het rijk van Hades zijn hele wezen onder een vergrootglas is gelegd. 'Het leven is een verplichting,' zegt hij met een voor hem ongewone nadruk. 'Een gunst en een verplichting om positieve energie de wereld in te brengen...'

Ik zeg niets. Ik weet niet wat het leven is. Het leven is het leven. Meer weet ik er niet over te zeggen. Het zou er trouwens toch op een verkeerde manier uit komen. Als er ergens een diepzinnige reden te vinden is, dan zou ik graag weten waar ik die kan zoeken.

'Positieve energie...' Bernard kijkt Marc aan alsof deze hem persoonlijk gekwetst heeft. Ook bij Bernard lijkt het voorval in de kloof datgene versterkt te hebben waar hij aanleg voor had: de overtuiging die al enkele decennia oud is dat het lot hem als een paria behandelt. 'Ik kan je zeggen wat het leven is,' begint hij na even na te denken. 'Het leven is als de loterij op de kermis, waar je een spiksplinternieuwe Mercedes kunt winnen. Ze maken je wijs dat je met het trekken aan één van de touwtjes die auto kunt winnen. Iedereen weet: dat is de hoofdprijs. Maar in werkelijkheid, en dat is het vuile ervan, in werkelijkheid zijn het allemaal loze touwtjes – er worden een paar schamele prijsjes uitgereikt, zodat je allemaal in de ban blijft. En ergens wéten we dat allemaal. Je weet dat de hoofdprijs een illusie is. Al staat hij te blinken voor je neus, hij zal altijd onbereikbaar blijven. En toch – het is raar maar waar – toch koop je van al je spaargeld zo'n rotlootje! Je laatste centen gaan eraan op.' Bernard pakt zijn wijnglas op en gooit het zonder waarschuwing op de grond, waar het in stukken uiteenspat, maar het kan niemand wat schelen. 'Dát is het leven, Marc. Een gunst... wat een onzin!'

Jeanne komt aanlopen met een veger en blik en veegt de scherven bijeen.

'Merci,' zegt Bernard. Hij kijkt naar haar op, met de tranen in zijn ogen. 'Het spijt me.'

Jeanne schenkt hem een glimlach en neemt het blik met de scherven mee naar de bar. Als ze terugkeert vraagt ze of ze kunnen afrekenen. Wij kunnen rustig blijven zitten, maar voor haar is het afgelopen.

Marc trekt zijn portemonnee, maar hij aarzelt als hij haar het geld wil overhandigen. Het leven is kort, zo ontzettend kort! En morgen hebben ze dit dorp alweer verlaten.

'Kom met ons mee!' zegt hij plotseling, al weet hij zeker dat ze hem niet verstaat. 'Ik schrijf een lied voor je, dan kun je horen hoe mooi het leven kan zijn!'

'Ik geloof mijn oren niet,' kreunt Bernard.

Jeanne kijkt Marc aan alsof ze zich afvraagt of hij het meent of haar voor de gek houdt.

'Doe nou maar niet zo uitnodigend,' waarschuwt Zoë. 'Straks verstaat ze je nog.'

Maar Marc is zichzelf niet meer, vannacht. 'Dat zou mooi zijn,' zegt hij. 'Maar dat doet ze toch niet?' Hij kijkt theatraal naar Jeanne op en vraagt, half grappend: 'Spreek je Duits, Doornroosje?'

Jeanne haalt verontschuldigend haar schouders op. *'Mieux que toi français, en tout cas.'*

'O la la,' zegt Zoë, die Jeannes antwoord als enige heeft gehoord.

'Hoe bedoel je, o la la?' Marc kijkt van Zoë naar Jeanne. 'Wat zei ze dan?'

De twee vrouwen wisselen een blik van verstandhouding. 'Ze zei dat ze zou willen dat ze je kon verstaan,' antwoordt Zoë.

Marc geeft zich gewonnen. Op een andere plaats, een andere tijd misschien. Natuurlijk, elke kans die je laat schieten is er een te veel, maar vandaag moet hij deze laten gaan. Want, zoals de zaken er nu voorstaan, kan hij zijn ogen niet meer openhouden.

'Ach, ik wist het wel...'

Jeanne wenst ons goedenavond, zwaait nog eenmaal schuchter en verdwijnt in het donker achter de circustent.

Zodra ze buiten gehoorsafstand is, kan Bernard zich niet langer inhouden: 'Jij bent echt zo... zielig!' Hij imiteert Marcs stem: 'Ik schrijf een lied voor je, dan kun je horen hoe mooi het leven kan zijn – bij jou zijn echt alle lampjes uitgegaan!'

'Iedereen komt op een zeker moment los,' vindt Lilith.

Marc bestudeert enige tijd Bernards gezicht. Dan klapt hij plotseling in zijn handen. 'We gaan opbreken.' Want nu Jeanne weg is, is er geen reden meer om te blijven. Moeizaam staat hij op.

'Wat ben jij van plan?' vraagt Lilith.

Marc wijst met zijn vinger naar Bernard. Precies zoals vroeger onze wiskundeleraar deed. 'Weet je wat jouw probleem is?'

Bernard houdt vermoeid zijn hand op. 'Alsjeblieft.'

Maar Marc laat zich niet tegenhouden. Door niets of niemand. En vandaag al helemaal niet. 'Jouw probleem is die stok in je reet.' Hij steekt zijn hand uit. 'Felix?'

Ik kijk hem aan.

'De sleutels.'

Ik trek de sleutels van de bus uit mijn broek. Als Marc ze vastpakt, weet ik dat ik ze eigenlijk niet af had moeten geven. Onder normale omstandigheden is Marcs rechtervoet al niet helemaal toerekeningsvatbaar, maar na vandaag, na 24 kilo cafeïne en drie soorten wijn... met zijn ongelijke tred loopt Marc zo recht mogelijk naar de bus.

'Waar gaan we dan naartoe?' roept Bernard hem achterna.

Marc antwoordt zonder zich om te draaien: 'Die stok uit je reet halen.'

'Daar wil ik bij zijn!' roept Lilith en ook zij staat op.

Marc rijdt maar een paar meter verder. Tegenover de vroegere bioscoop stopt hij. Aan het einde van de straat hangt Jezus boven de kruising: links- of rechtsaf. De lichtreclame, die al twintig jaar melding maakt van *Les liaisons dangereuses*, flikkert boven het parkje. Vroeger stond naast de bioscoop de plaatselijke Crédit Agricole, maar nu staat daar alleen nog maar een geldautomaat. Verder staan er een bankje, een prullenbak en een plataan, die overdag het bankje beschaduwt. Dit alles tezamen maakt het tot een van de minst spectaculaire parkjes in Frankrijk.

Marc doet de motor uit.

Na een poosje zegt Lilith: 'Dank je. Ik ben echt blij dat ik dit mee mocht maken.'

In plaats van te antwoorden, haalt Marc zijn blikje tevoorschijn en begint een joint te bouwen.

'En wat is nu de bedoeling?' vraagt Zoë.

Marc steekt de joint aan, inhaleert en geeft hem door aan Bernard die hem sceptisch bekijkt.

'Roken,' zegt Marc.

Bernard gehoorzaamt.

Nadat de joint de ronde heeft gedaan, wijst Marc op de tekst op het reclamebord. 'Omgooien.'

'Wat bedoel je?' vraagt Bernard.

'Ik bedoel die letters,' legt Marc uit. 'Omzetten.'

'En hoe kom ik daarboven?'

'Weet ik veel.'

Bernard kijkt om zich heen en trekt een wanhopig gezicht. 'Mag ik nog een hijs?' Hij neemt er nog een, wacht, neemt er nog een, wacht. Dan zegt hij: 'Ik krijg geen idee.'

Lilith begint te giechelen. Ze schuift de deur open en pakt Bernards hand. 'Kom op!'

Hand in hand lopen ze het parkje door, struikelend en giechelend: Bernard, die de wereld door een grijze bril ziet en Lilith, de vrouwelijke Indiana Jones, met engelachtige krullen en borsten als Afrodite. Zelfs Bernard kan daar niet tegenop.

Samen veroorzaken ze een aanzienlijke chaos. Marc, Zoë en ik bekijken het gebeuren vanuit de bus alsof we naar een voorstelling kijken. Met veel misbaar verplaatsen ze het gietijzeren bankje onder de overhang, om vervolgens vast te stellen dat ze er nog niet bij kunnen en het daarom weer terug slepen naar zijn plek onder de plataan. Daarna trekken ze de prullenbak los, zetten deze op de bank, klimmen van de bank op de prullenbak en vandaar in de boom. Onder luid geproest tijgeren ze over een tak en laten zich vanaf het uiteinde op het overhangende dak vallen. Daar maken ze juichende gebaren. In de omliggende huizen gaan de eerste lichten aan.

'Straks blijven ze erin,' zegt Zoë.

Lilith en Bernard trekken de letters los en maken er nieuwe woorden van. S… U… S… I…

'Susi?' vraagt Zoë.

'Die ken ik ook niet,' antwoordt Marc.

Kort daarop staat er niet langer *Les Liaisons Dangereuses*, maar:

SUSI GOES ALaDIN

'Dat slaat toch helemaal nergens op,' zegt Zoë.

'Nou en,' vindt Marc.

'Misschien,' doe ik een duit in het zakje, 'heeft het voor hen wel zin en kunnen wij dat niet zien.'

Zoë leunt naar achteren, laat haar hoofd zakken en doet haar ogen dicht. 'Snap het niet.'

'Ik weet ook niet wat ik ermee bedoel,' geef ik toe. Misschien is het zoals het leven, denk ik. Misschien is de zin van het leven niet anders dan het leven zelf. 'Misschien is de zin van "susi goes aLaDin" gewoon "susi goes aLaDin".'

Zoë houdt haar ogen dicht. Na een poosje zegt ze: 'Ik snap het.'

Bernard heeft de overgebleven letters verzameld en smijt ze met een zwierig gebaar in het parkje. Lilith pakt zijn hand en samen buigen ze vanwege hun schitterende première.

De Jezus boven de splitsing begint te knipperen, het is een blauwig licht dat steeds feller wordt en dan ook op de huizen zichtbaar wordt, en op het asfalt.

'Shit!' Marc start de motor. 'Bernard, smerissen!'

25

Bernard rolt over het dak en grijpt reflexmatig de dakgoot beet, waarna deze langzaam losschiet uit zijn bevestiging en naar beneden buigt en Bernard zachtjes voor de bioscoop afzet. Maar Lilith blijft achter, zonder dakgoot.

'Spring!' roept Bernard en hij strekt zijn armen naar haar uit, alsof hij haar op kan vangen.

Intussen heeft Marc de bus gekeerd en staat met open schuifdeur en ronkende motor voor het parkje. 'Snel!' roept hij.

Lilith staat aan de rand en kijkt naar beneden. 'Als ik mezelf van kant wilde maken, was ik wel in die kloof gebleven.'

'Kom op! Spring nou!' roept Bernard.

Op dat moment komt Maurice in zijn politieauto de hoek omzetten en zet de sirene aan.

'Wegwezen jullie,' roept Lilith en ze gaat op haar buik op het dakje liggen. 'We zien elkaar later wel op het grote plein.'

Marc drukt zacht het gaspedaal in. 'Bernard.'

Die begint te rennen en springt in de rijdende bus.

Ik draai me om, zodat ik naar voren kan kijken. 'Links!' roep ik.

Marc draait aan het stuur, taxeert de afstand tussen twee paaltjes en geeft een dot gas.

Onze vluchtpoging lijkt bij voorbaat een zinloze oefening. Maurice heeft ons allang ontdekt en zet de achtervolging in met zijn nieuwe Peugeot 308.

'Rechts,' roep ik.

Bernard wordt tegen de bus aan geslingerd en knalt tegen de

schuifdeur. Bij de volgende bocht naar links kan hij zich nog net vasthouden aan de hendel van de schuifdeur terwijl zijn onderlichaam al uit de bus hangt. Met een wanhopige sprong naar Zoë komt hij op de achterbank neer en geeft de schuifdeur een zet met zijn voet.

We jagen doelloos door de steegjes, maar het geluid van de sirene en het zwaailicht zit ons op de hielen. Maurice krijgt geen gelegenheid ons in te halen, maar net zomin krijgen wij de kans hem van ons af te schudden.

'En nu?' vraagt Marc.

'Rechts,' antwoord ik.

Marc kijkt in de achteruitkijkspiegel. 'Je moet echt iets beters bedenken, die vent blijft aan onze kont plakken!'

'Wat dachten jullie van stoppen?' roept Zoë. 'Zo maken we alles toch alleen nog maar erger?'

Marc kijkt me aan.

Ik haal mijn schouders op. Klinkt plausibel.

Een knal overstemt het geluid van de sirene.

'Wordt er nou geschoten?' roept Marc, terwijl hij met zijn rechterwiel een bloempot omverrijdt als hij een steil straatje ingaat, waarin we eigenlijk vast zouden moeten blijven zitten, wat om de een of andere raadselachtige reden niet gebeurt.

'Denk het wel,' antwoord ik op zijn vraag.

'Die is niet helemaal lekker!' roept Bernard verontrust.

Op datzelfde ogenblik knalt er een tweede schot door het steegje. Plotseling zit er een gat in de achterruit met eromheen een mozaïek van glasdeeltjes.

'Mijn hemel!' schreeuwt Zoë, 'Stoppen, Marc! Hij schiet op ons!'

'En wat denk je dan dat hij gaat doen als ik stop – ons uitnodigen voor een kopje thee?!'

'Stop nou, Marc, alsjeblieft!'

'Ik denk dat Zoë gelijk heeft,' zeg ik.

'Die fout heb ik één keer eerder gemaakt en sindsdien heb ik een gat in mijn been!' Marc probeert een haakse bocht te maken en wil onder een bruggetje verder racen. Maar een haakse bocht maken met deze bus is gelijk aan je wenkbrauwen epileren met een barbecuetang.

In de koplampen duiken twee katten op. Ze redden zich in een portiek. Door de uitwijkmanoeuvre kantelt de bus, die om zou kiepen, als er geen vensterbank in de weg zou zitten. Daarna ramt Marc nog twee vuilniscontainers en schiet de volgende straat in.

'Dat is een eenrichtingsstraat!' brult Bernard.

'Joh, zouden we een bon riskeren?'

We komen aan bij een piepklein pleintje, slalommen door een rij geparkeerde auto's en duiken het volgende straatje in.

'Zo komen we niet verder!' roept Zoë.

'Wil jíj liever rijden?' vraagt Marc.

Met een brullende motor razen we naar beneden, vlak langs een fontein en het oude washuis en bevinden ons opeens weer op het dorpsplein. De verwondering die ons te beurt valt als we aan komen rijden, had niet groter kunnen zijn. De beide dorpsgekken, de Engelse kunstenaars, de pensionado's en de mensen die in deze huizen zijn opgegroeid en oud geworden – geen van hen heeft ooit zoiets meegemaakt. Hun sigaretten kleven aan de lippen van hun openstaande monden en de boulesballen hangen stil in de lucht.

Tweemaal scheuren we om de circustent met Maurice boven op onze bumper, voordat we met piepende banden door de boulesbaan heen gaan, gevolgd door de ongelovige blikken van de spelers.

'O, shit,' roept Zoë. 'Ik moet overgeven!' Twee tellen later braakt ze de halfverteerde pizza, vermengd met drie kleuren wijn, op de vloer van de bus.

Marc kiest ditmaal een straat naast het stadhuis en we begeven ons opnieuw in een wirwar van nauwe straatjes. Er valt een derde schot.

'Probeer links eens,' zeg ik. 'Hier zijn we al geweest.'

Er komt een huis op ons af, we sturen er net op tijd voorbij en dan loopt er opeens een vrouw voor ons uit, slechts gekleed in een string en met haar kleren tegen haar borstkas gedrukt. Haar ogen spert ze open, maar opzij springen doet ze niet; ze laat alleen haar spullen vallen en slaat haar handen voor haar gezicht.

'Links!' schreeuw ik. En het volgende moment zie ik haar naakte borsten langsvliegen.

Door de gebarsten achterruit zie ik hoe de vrouw wankelt en Maurice niets anders overblijft dan vol op de rem te staan, zodat hij vlak voor haar voeten tot stilstand komt, en dat lukt alleen maar omdat hij een stenen trap ramt.

'Rechts!' roep ik.

We laten de laatste huizen achter ons en schommelen over een grindpad. Er rammelt iets tegen de onderkant van de bus. Dan bevinden we ons op een grasveld tussen twee olijfbomen, voor ons ligt de nacht, achter ons de verlichte vensters van het dorp.

'Laten we het licht uitdoen,' stel ik voor.

26

Als Jeanne thuiskomt, ligt Jurgen op zijn buik in hun gezamenlijke bed. Vanaf zijn middel steekt er nog een stel benen uit zijn onderlichaam, als bij een vreemd dier. Ze behoren toe aan Marie, de vrouw van Maurice, die onder hem ligt. Ze kreunt de hele tijd luid: 'Oui, oui, oui!' Al houdt Jurgen zijn hand over haar mond.

Marie heeft Jeanne eerder in de gaten dan Jurgen. Ze stopt met kreunen en zegt iets, maar omdat Jurgen haar mond dichthoudt, klinkt het als gegorgel. Uiteindelijk slaat ze hem op zijn kont.

'Je m'en occupe!' zegt hij. 'Ik ben toch bezig.'

Maar Maries lust is als sneeuw voor de zon verdwenen. Zwijgend wijst ze naar de deur.

Jurgen haalt zijn hand van Maries mond en houdt abrupt op met heupbewegingen maken. 'Wat doe jíj hier nou?' vraagt hij.

Jeanne loopt naar de keuken, gaat aan tafel zitten en wacht tot Marie het huis verlaten heeft. Niet in hun huis, dat was een ongeschreven wet. Alles wilde ze door de vingers zien, als het maar niet in haar huis, in haar bed gebeurde.

Intussen krijgt Maurice, die nog op het plein is, een noodoproep van zijn vader – rechtstreeks op de portofoon in zijn wagen. 'Ah, Maurice, *misérable bon à rien*!' kraakt Gilberts stem over het plein, *'Lâche la boule sur le champ et viens ici!* Maurice, ellendige nietsnut! Laat die bal vallen en kom hier!'

Maurice doet zoals hem wordt opgedragen: hij laat de bal vallen, springt over de boomstam die de boulesbaan afbakent en ijlt in looppas naar zijn auto. Gilbert vertelt hem wat een lapzwans hij toch als zoon heeft en dat die nu snel in beweging moet komen, want hij, Gilbert, kan vanuit zijn raam zien dat twee dronken Duitsers op dit moment de geldautomaat naast de bioscoop aan het kraken zijn. Hij zou ze, als rechtschapen burger, het liefst direct neerschieten, maar ja, dat geeft weer zo'n gedoe. Maurice voelt of zijn holster goed zit, doet zijn zwaailicht aan en racet ervandoor.

Het duurt een halve eeuwigheid voordat Marie haar spullen bij elkaar gezocht heeft en eindelijk de deur achter zich heeft dichtgetrokken. Jurgen komt uit de slaapkamer en gaat in de deuropening staan. Hij heeft zich niet aangekleed – hij is een dier, dat uit al zijn poriën naar seks ruikt en een en al lust is. Hij is niet klaargekomen; hij heeft niet kunnen spuiten. En direct wordt hij gek van de testosteron.

'Ik heb vandaag vijf mensen het leven gered,' zegt hij, alsof dat al het andere verklaart. Opeens loeit er een sirene in het straatje. Er raast een auto voorbij, een andere remt, vlak voor het huis en schampt de muur. Over het aanrecht flikkert blauw licht. Jurgen loopt naar het raam en kijkt op straat. Daar stapt Maurice net uit zijn auto en vraagt wat zijn vrouw hier doet, om deze tijd, slechts gekleed in een string, voor de deur van Jeanne en Jurgen. Vlak daarna gaat de sirene uit.

Jurgen doet een stap naar achteren. 'Nou, wat doe je,' vraagt hij, 'Kom je naar bed, of wil je hier blijven zitten huilen?'

Jeanne reageert niet. Jurgen wil haar wegtrekken van de tafel, maar ze schreeuwt dat hij haar niet moet aanraken en vooral moet oprotten. Ineens is het zeer stil.

Alleen het zwaailicht is nog op de straat te zien. Jurgen weet echt niet wat hij moet doen. Besluiteloos loopt hij weer naar het raam. Marie en Maurice rapen samen Maries kleren van de straat op en stappen in de auto. Het zwaailicht gaat uit en dan rijden ze weg. Dat was het einde van Jurgens affaire. Niet erg. Het was wel zo'n beetje klaar. Hij draait zich om naar Jeanne, die van hem wegkijkt, krabt aan zijn buik en slentert langs haar naar de slaapkamer, waar hij zich aankleedt. Hij loopt naar Café Louis, waar hij zich gaat bedrinken.

Jeanne pakt een fles rode wijn uit de kast, trekt de kurk eruit, drinkt en staart naar buiten.

27

Ik lig in Marcs slaapzak op het dak van de bus. Boven mij strekt zich het ondoordringbaar zwarte niets uit. Hier op het land is het veel koeler dan tussen de muren van het dorp. De wolken hangen zo laag dat ik ze bijna aan kan raken. Er is geen ster te zien. Bij vlagen waait er een vochtig briesje over het plateau, een voorbode van onweer. Er zijn nog geen bliksemflitsen te zien, maar de wind draagt al flarden gerommel uit de verte met zich mee.

De anderen slapen. Ze konden hun ogen een tijdje niet sluiten, vanwege de adrenaline, maar ze hadden zich nog niet in hun dekens gehuld en hun hoofden op de kussens met smileys laten rusten, of ze sliepen al. Geen van ons vroeg zich af wat we zouden moeten doen. Eerst slapen. Al het andere kwam wel.

Als de donder dichterbij komt en de eerste dikke druppels op mijn voorhoofd spetten, klim ik van de bus en ga op de bijrijdersstoel zitten. Het drupt nog steeds op mijn gezicht. Ik probeer het dak dicht te doen, maar houd plotseling de klink in mijn handen. Niet dicht te krijgen. Er verschijnen druppels op het dashboard. Intussen verschijnen ook de eerste flitsen. In de verte, aan de rand van de hoogvlakte, zie je gedurende enkele seconden de omtrekken van de bergen. Binnen een kwartier zal de regen het veld in een meer veranderen. Ik neem een rol tape, klim weer op de bus en plak de opening dicht met gaffertape.

Ik plak net het laatste stuk vast, als ik in het gras om ons heen allemaal oplichtende druppels zie – allemaal kleine lichtjes die om de bus heen dansen. Mijn verstand zegt dat ik hallucineer.

Geen wonder, na zo'n dag. Toch blijken mijn ogen mij niet voor de gek te houden. Het wordt me allengs duidelijk dat het vuurvliegjes zijn. Ik beweeg me niet maar kijk naar het schouwspel van de duizenden dansende lichtjes.

Ik klim weer van het dak af en loop een stukje door de regen. Het natte gras strijkt langs mijn benen. Verderop blaft een hond. Ik blijf in de ban van de vuurvliegjes en laat mijn blik met ze mee dansen; ik verlies mijn contact met de aarde. Ik kan me niet herinneren ooit iets mooiers te hebben gezien.

Langzaam keer ik terug naar de bus, stap in en sluit de deur. De regen klettert op het dak. Ik hoop dat Lilith niet door- en doornat op het afdak boven de bioscoop ligt. Morgen rijden we naar het huis van mijn oom Hugo. Mijn huis, dat ik nog nooit gezien heb. We baden in een zee van weerlicht.

Nog geen 30 meter van ons verwijderd slaat de bliksem in een boom in. Boven ons knalt de donder, de ruiten rammelen en mijn hart bonst in mijn keel. Marc krimpt ineen, maar wordt niet wakker. Hij heeft zich in twee dekens gewikkeld met alleen zijn hoofd eruit. Zijn mond is wijdopen. Van Bernard kan ik niet veel zien, maar ik hoor hem wel snurken.

In mijn slaap hoor ik een stem: 'Felix?' Ik droom kennelijk. 'Felix, slaap je?'

Boven mijn hoofd verschijnt een gestalte.

'Zoë?'

'Waar denk jij aan?' wil ze weten.

Ik ben weer in de bus, op de bijrijdersstoel. Naast Marc. 'Ik vroeg me af wat Lilith nu doet,' antwoord ik.

Na een tijdje vraagt Zoë: 'Heb jij die vuurvliegjes ook gezien?'

'Ja.'

'Waanzinnig, hè.'

Ik probeer de juiste woorden te vinden. 'Ik werd vervuld met dankbaarheid,' zeg ik. Iets beters kan ik niet verzinnen.

Er flitst weer bliksem in de lucht, dit keer is het achter ons.

Zoë zegt: 'Ja, inderdaad.'

De onweersbui is boven het dorp aanbeland. In het weerlicht is de torenspits zichtbaar.

'Ik wil je wat zeggen,' gaat Zoë verder.

Ik wacht.

'Het spijt me, van daarstraks – wat ik zei over jou en de dood.' Ze stoot tegen Bernard aan, die kort ophoudt met snurken. 'Het kwam omdat ik kwaad was,' vervolgt ze. 'Ik schaamde me, dat ik daar beneden in die kloof helemaal ging freaken, terwijl jij zo koel bleef.'

Ik wil haar zeggen dat ze zich niet hoeft te schamen. Tenslotte zijn we door haar geschreeuw gered. Zonder haar waren we nog in die kloof geweest. Samen met dat wilde zwijn. Zoë heeft er een bloedhekel aan als ze tegenover zichzelf of iemand anders een zwakte moet erkennen. Als zij zich nu bij mij verontschuldigt, is dat een hele overwinning voor haar. Dat zou ik haar ook kunnen zeggen, dat ik begrijp hoeveel moeite dit haar heeft gekost.

Maar uiteindelijk zeg ik alleen: 'Oké.'

Bernard begint weer met snurken.

'O, en Felix?'

'Ja.'

'Over Lilith hoef je je geen zorgen te maken. Die komt wel op haar pootjes terecht.'

'Ja,' zeg ik.

Dat klopt volgens mij wel. Zo iemand is ze wel. Iemand die op haar pootjes terechtkomt. Alleen ligt haar rugzak nog achterin de bus, en kan ze die wel missen?

28

Lilith vraagt zich af of ze niet gewoon op het afdak kan blijven liggen. Het is genoeg. Voor vandaag, voor een hele week, misschien wel voor de rest van haar leven.

'Ik wil niet meer,' zegt ze tegen zichzelf. Het klinkt een beetje pathetisch.

Maar een ware Indiana Jones laat zich niet zomaar van de wijs brengen; in elk geval niet op het dak van een bioscoop. Indiana zou met zijn zweep slaan, zich in de plataan hijsen en vandaaruit op een rijdende vrachtwagen springen. En als hij zijn zweep vergeten was, zoals Lilith, dan zou het hem zonder ook nog wel lukken. Lilith staat op, springt, grijpt het uiteinde van een tak en schommelt net zo lang heen en weer tot ze deze ook met haar voeten kan vastpakken. Als een luiaard verplaatst ze zich over de tak.

Drie minuten later heeft ze de stam bereikt, zoekt de laagste tak, pakt deze vast en laat zich zakken. Met haar ogen dicht tast ze met haar voeten naar de prullenbak, laat zich vallen en komt naast de bank op het beton terecht.

'Au,' roept ze uit en wrijft over haar knie. 'Goed gedaan, Indy.'

Met haar handen in haar zakken slentert ze naar het plein. Ze heeft geen cent op zak, de anderen zijn weg; net als haar rugzak. Vlak voor Café Louis loopt ze Jurgen tegen het lijf, die zich wil gaan bezatten.

'Ik ken jou toch,' zegt Jurgen.

'Klopt,' antwoordt Lilith.

Louis is net bezig alle stoelen op te stapelen en de tafels tegen de gevel te zetten. Het zou vannacht wel eens kunnen gaan stormen. De luiken van de oude school beginnen al te klapperen. Vaak een teken dat er een bui op komst is. De laatste gasten gaan al binnen zitten. Onder het spijkerjack van Lilith is haar T-shirt net zichtbaar – dat met die landen en die tieten.

Jurgen wijst naar haar borsten. 'Interessante tekst.'

'Mag ik een drankje van je bietsen?'

Ze gaan aan de bar zitten.

'Wat wil je drinken?' vraagt Jurgen.

'Wat drink jij?'

'Whisky.'

Lilith haalt haar schouders op. 'Ach, eens moet de eerste keer zijn.'

Drie whisky's later vraagt Jurgen: 'Waar heb je de rest gelaten?'

Lilith vertelt wat er gebeurt is: dat ze op het dakje zijn geklommen en de letters hebben verplaatst, dat de politie kwam en dat de rest ervandoor ging. Met háár spullen achterin.

'Maurice,' mompelt Jurgen. 'Nare Fransoos.'

Jurgen kan twee keer zoveel whisky's kwijt als Lilith. Uiteindelijk drinkt hij er veertien en Lilith zeven. Bij Lilith vallen ze slecht, bij Jurgen niet. Maar dronken zijn ze allebei.

Jurgen heeft een topidee. 'Luister,' zegt hij en hij moet zich volledig concentreren om alle argumenten op een rijtje te krijgen. Die zijn namelijk van essentieel belang. 'Jullie hebben ervoor gezorgd dat mijn neukpartij niet doorging,' begint hij. 'En toen heeft Jeanne – da's mijn vriendin – me ook nog seks geweigerd. Bovendien...' Nu moet hij heel scherp nadenken. 'Bovendien heb ik jullie gered uit die kloof en jij... jij hebt twee absolute jetsers, daar onder dat T-shirt. Vind je niet dat je het een kleín beetje...' Hij grijpt naar Liliths borst maar grijpt mis. 'Een klein beetje moet goedmaken?'

Lilith heeft een paar seconden nodig voordat ze zichzelf onder controle heeft. 'Bejje belazerd!' Ze veegt zijn hand van haar buik. 'Ik laat me toch niet naaien door een of andere pitbull! En bovendien, zet je schrap, bovendien val ik niet op mannen.'

Jurgen krabt zich achter zijn oren. Eerst links, dan rechts. 'Waar val je dan op?'

'Op vrouwen natuurlijk, slimmerik. Ben een lesbo.'

Jurgen trekt een gezicht alsof de aantrekkelijke blondine met de grote tieten hem opeens in een wurggreep heeft genomen. Hij snapt helemaal niets van lesbiennes. He-le-maal niets. Vrouwen die van vrouwen houden – waar slaat dat nou op?

'Grapje zeker?' vraagt hij.

'Nee joh, ik zei toch: zet je schrap.'

'Een scharende vrouw…' Jurgen schudt ongelovig zijn hoofd. 'Het is echt mijn dag niet.'

In zijn hersenpan vindt een kortsluiting plaats tussen een aantal synapsen. Het gevolg daarvan is dat hij uithaalt en Lilith een linkse directe verkoopt. Ze vliegt van haar kruk af en komt op de geboende planken vloer terecht. Moeizaam staat ze op en houdt haar neus vast.

Jurgen slaat geen vrouwen. Dat heeft hij zich nou eenmaal voorgenomen. En hij heeft zich daar ook altijd aan gehouden, ongeacht hoe dronken hij was. En trouwens, zoiets doe je gewoon niet. Maar lesbo's tellen niet. Daarnet is er bij hem iets geknapt. De vijf gestalten die behalve Lilith en hij aan de bar zitten, zeggen niets. Dat doen ze trouwens al de hele tijd – niets zeggen. Zelfs Louis waagt het niet zijn mond open te trekken. Alleen de vrouw op de flatscreen in de hoek doet haar ogen open en schreeuwt.

Lilith is opgestaan. Ze voelt haar neus opzetten. En bloeden. Ze trekt een paar servetten uit een houder, drukt ze tegen haar bovenlip, zegt: 'Bedankt voor de whisky, klootzak,' en gaat naar buiten. En omdat ze niet weet waar ze naartoe moet en het ondertussen is gaan regenen, wankelt ze over het plein, tot ze bij een bankje in een nis van de kerk aankomt. Daar laat ze zich op het bankje vallen en leunt tegen het witgebleekte zandsteen.

Terwijl ze wacht tot haar neus is gestopt met bloeden, ziet ze een kleine man in snelwandelpas het plein oversteken. Hij draagt een uniform, een gordel voor zijn dienstwapen en een scheve pet, waar de regen in stralen vanaf loopt. Bij Café Louis aangekomen staat hij even stil, slaat zijn hakken tegen elkaar en trekt de deur open.

Marie heeft alles opgebiecht aan haar man. Al is het niet helemaal het juiste woord. Eerder heeft ze Maurice beroofd van de illusies die hij over haar koesterde. Had ze het dan mooier moeten maken? Haar man loopt tegen de veertig en speelt nog met modelbouwauto's. En dan dat uniform; dat ziet er in haar ogen alleen maar potsierlijk uit. Vooral met die pet! Die zakt voortdurend over zijn ogen. En als Marie toch bezig is met haar hart uitstorten: met wat hij in huis heeft, kun je niet eens een cockerspaniel bevredigen, laat staan een vrouw.

'Hoelang duurt het al?' wil Maurice weten. Al het andere vindt hij niet langer belangrijk.

'Met Jurgen?' Marie draait met haar ogen. 'Mijn god, geen idee. Ik weet niet eens meer wanneer het begonnen is.'

Daarop geeft Maurice haar een klap in het gezicht, maar dat helpt niets. Voor hem niet en voor haar niet.

'Sodemieter toch op,' is het enige commentaar van Marie.

Nog geen twee minuten nadat de deur van de kroeg zich achter Maurice heeft gesloten, gaat hij alweer open. Jurgen komt naar buiten. Tegen zijn onderlip heeft hij een prop servetten. Lilith gaat rechtop zitten. Jurgen ziet haar zitten in de nis en omdat er voor hem in dit dorp geen toevluchtsoord meer is, strompelt hij door de regen naar haar toe en gaat naast haar zitten.

Na een tijd vraagt Lilith: 'Op je neus?'
'M'n lip,' antwoordt Jurgen.
'Net goed.'
'Hmm.'
Het gaat harder regenen. Alle gasten verlaten Café Louis. The show is over. Uit de elektriciteitskast in de plataan komen rare geluiden. Het sist en knalt en dan is het ineens donker op het plein.
'Kun je niet ergens anders gaan zitten?' vraagt Lilith.
Jurgen beweegt niet. Zijn armen hangen slap langs zijn lichaam. Het is niet duidelijk of hij Liliths vraag gehoord heeft. Misschien denkt hij erover na.
'Hier zit ik best,' zegt hij ten slotte.
Ook Louis verlaat de bar, sluit af, trekt zijn kraag op en verdwijnt haastig in een steegje.
'En toen waren er nog maar twee,' zegt Jurgen.
'Verbeeld je maar niks,' antwoordt Lilith.
Het onweer heeft inmiddels het dorp bereikt. Door de steegjes en over het plein rolt de donder. Het regent nu zo hard, dat ook de nis geen beschutting meer biedt. Lilith gaat staan. Voor zover dat gaat. Haar knieën willen niet meer. Ze moet een droog plekje zoeken. Als ze vandaag weer zo door en door koud wordt, kunnen 24 kilo cafeïne haar niet meer helpen.
'Fuck you,' zegt ze ten afscheid.
'Hmm.'
Lilith steekt het plein over en kruipt onder het tentdoek van de circustent. Daar vindt ze een kussen en een gordijn. Ze zoekt een plekje in de piste, waar ook nog een eenzame ezel staat, gaat in het zand liggen met haar hoofd op het kussen en spreidt het gordijn als een deken over zich uit. Het ruikt er naar stal en de regen trommelt hard op het tentdoek. Als Laura nu bij haar zou zijn dan zou dit het meest romantische oord ter wereld zijn. Maar nu moet ze het doen met nat zand, regen en een eenzame ezel. Lilith trekt

het gordijn over haar ogen. Er verschijnt een traan in haar oog. Wat een klotezooi.

Jurgen blijft buiten zitten. Dan maar nat. Hij droogt wel weer op. Als het ophoudt met regenen komen de vleermuizen. De vochtige lucht trekt insecten aan en voor de zoogdiertjes is het *all you can eat*. Die hebben niemand nodig, vleermuizen. Net als insecten. Nu komen er over de boulesbaan ook kikkers aanspringen. Die hebben ook niets of niemand nodig.

'Weet je?'

Het is Jurgens stem die Lilith wekt. Gerold in haar gordijn ligt ze roerloos in de piste.

'Ik ben vast net zo dom als jij,' gaat Jurgen verder. 'Misschien wel dommer. Want jij bent droog en ik ben nat.'

Lilith wil terugroepen, dat hij haar verdomme eens met rust moet laten, maar doet eerst voorzichtig een oog open. Vanuit haar provisorische slaapzak stelt ze vast dat Jurgen niet tegen haar praat, maar tegen de ezel die naast de ingang staat. In de ochtendschemering, zichtbaar door het tentdoek, zit hij op de rand van de piste, oog in oog met zijn nieuwe vriend. Voor een onderonsje. Dat Lilith aan zijn voeten ligt, is Jurgen niet opgevallen.

De ezel geeft met een beweging van zijn linkeroor aan dat hij luistert.

'Jij hebt het maar goed.'

Lilith doet haar oog weer dicht.

'Je hoeft je nergens zorgen over te maken. Je hebt een leuk huis, krijgt genoeg te vreten en elke avond komen er mensen op bezoek om voor je te klappen. Aan seks heb je, denk ik, geen behoefte meer en verder heb je ook niet zo veel nodig...' Jurgen aait de ezel over de kop, in gedachten verzonken, tot deze hem aanstoot met zijn neus. 'Sorry, makker,' gaat Jurgen verder. 'Ik heb niets voor je. Laten we nog eens over de moraal van dit verhaal nadenken.

Die is… nogal complex. Dat is zeker. Je kunt je doodergeren aan iemand, maar daarmee ben je niet meteen van iemand af. Zeker niet van de vrouw van je leven.’ Hij zwijgt even en Lilith is even bang dat Jurgen is ingedut, samen met zijn nieuwe vriend, maar hij had alleen even tijd nodig om zijn gedachten te ordenen. ‘Weet je, makker? Ik moet eigenlijk naar huis om mijn verontschuldigingen aan te bieden aan mijn vrouw. Want ze is de vrouw van mijn leven… echt. Dat is toch de moraal van dit verhaal, of niet soms?’ De ezel beweegt zijn oren weer. ‘Je hebt gelijk, jongen.’

Moeizaam staat Jurgen op, zoekend naar evenwicht. Hij klopt de ezel het stof van de rug en wankelt de tent uit. Lilith draait zich op haar andere zij en slaapt weer in.

29

Mijn vader was wezen skiën. Een weekend lang. Het was bijna Kerstmis. In Sankt Moritz lag 2,5 meter vers gevallen sneeuw op hem te wachten. Hij ging met het vliegtuig, maar kwam terug met de helikopter. Gebroken been. Daarom had hij een chauffeur. Maar zelf lopen kon niemand hem afnemen. Elke ochtend hobbelde hij met behulp van zijn krukken het trappetje af naar de stoep. Dan vervloekte hij die krengen, alsof ze een teken van zwakte waren.

Zoals altijd met Kerstmis, was het in de woonkamer heel warm. Mijn nieuwe wollen trui prikte aan mijn armen en nek. Oom Hugo keek treurig.

'Hallo, jongen,' begroette hij me. Toen hij en vader zich teruggetrokken in diens studeerkamer, vroeg hij niet of ik meekwam. Inmiddels kon de schaakcomputer mij alleen nog verslaan op level 7 en 8, en soms op 6, als ik moe was.

Oma was aanwezig, maar opa niet meer. Zelfs niet alleen lijfelijk. Sebastiaan was boven zijn nieuwe videospel aan het spelen. Toen oma haar tweede soesje afklopte en er een hapje van wilde nemen, begon ze opeens te huilen.

'Hij was alles wat ik had,' zei ze.

Moeder stond op, liep naar de boom en doofde de kaarsen tussen duim en wijsvinger. Vierentwintig keer nam ze een vlammetje tussen beide vingers tot alle kaarsjes uit waren. Daarna wendde ze zich tot oma, die nog op de bank zat te snikken.

'Houd eens op,' zei ze, met een boze blik. 'Hij heeft je vijftig jaar slecht behandeld.'

Oma's adem stokte in haar keel. De hand met het halve soesje bleef in de lucht zweven. 'Hij was alles wat ik had,' herhaalde ze.

Moeder veegde haar hand aan haar rok af. Haar wijsvinger was helemaal rood. Ze sloot haar ogen en zei: 'Je kunt wel naar papa en Hugo in de studeerkamer, Felix. Ik weet zeker dat ze dat goed vinden.'

Oom Hugo was er met zijn hoofd niet bij. Zijn blik leek door de stukken heen te gaan. Vader daarentegen, was des te verbetener in het spel. Hij had binnen zijn krukken niet nodig, maar wel een wandelstok, waarvan hij de knop stevig omklemde.

Ik reconstrueerde het spel. Dat was leuk. Het was net als op school, als meneer Botje een film terugspoelde, maar de lamp van de projector nog aan was. Het was bijna afgelopen, maar vader was in het voordeel. Hij zat ineengedoken in zijn stoel, als een roofdier wachtend op zijn prooi.

'Niet het paard!' riep ik plotseling.

Oom Hugo keek op. 'Wat zeg je?'

'Niet het paard. Als je het paard weghaalt, kan papa je koning een kopje kleiner maken.'

Vader hield zijn adem in, heel lang. Anders hoorde je hem vaak snuiven.

'O, is dat zo?' Voor het eerst leek oom Hugo de schaakstukken waar te nemen. 'Dat zullen we nog wel eens zien...' hij legde zijn hand onder zijn kin, maar zag de bedreiging niet direct. 'Sorry,' zei hij na een tijd. 'Maar ik denk dat je je vergist.'

Maar ik zag het wel. Ik wist hoe de figuren zouden bewegen. Als oom Hugo zijn paard van C6 naar B4 zou verplaatsen, zou hij in vijf slagen mat staan.

'Als jij je paard weghaalt, dan...' Ik kon het niet uitleggen. Ik kon mijn eigen talent niet uitleggen. Ik begreep niet hoe mijn hersenen werkten en kon niet uitleggen hoe ik het wist. Ik zag het gewoon. 'Doe het gewoon niet,' zei ik, vastbesloten.

Oom Hugo's pijp was uitgegaan. Hij stak hem opnieuw aan, trok de vlam in de pijpenkop. 'Als jij dat zegt...'

Vaders neusvleugels begonnen te trillen. Zijn knokkels werden wit, zijn stok beefde.

'Nou ja, ik heb ook nog andere stukken,' zei oom Hugo. 'Dan neem ik toch... Mijn god, je hebt gelijk! Die zet zou me in het verderf storten!'

'Jij, on-mo-ge-lijk jong!' riep mijn vader uit.

Hij hief zijn wandelstok op, waar hij even bleef zweven, voordat hij ermee op het bord sloeg. Twee, driemaal hakte hij erop in, de stukken vlogen in het rond. Het was doodstil. Uiteindelijk stond mijn vader op uit zijn stoel, pakte de leuning van zijn stoel vast en wees met de stok naar mij.

'Eén keer! Eén keer, in al die jaren kan ik een partij winnen, en dan verpest jij het!'

De stok prikte in mijn borstkas; ik voelde mijn hart wild kloppen tegen de punt. Ik kreeg het warm. Door de halfopen deur kwam de geur van de gebraden gans naar binnen. Ik wilde slikken, maar dat ging niet. Ik voelde de tranen over mijn wangen rollen.

'Jij vervloekte rotjongen!' riep mijn vader. 'Nooit zeg je een stom woord, maar die ene keer dat ik eens kan winnen, kun je plotseling praten.' Zijn stok kwam gevaarlijk dicht in de buurt van mijn gezicht. 'Ik vervloek je!'

Ik perste mijn ogen dicht. De tranen biggelden over mijn wangen, maar dat was niet belangrijk. Zo dadelijk werd ik een kopje kleiner gemaakt.

'Zo is het wel genoeg.'

Ik deed mijn ogen open. Ook oom Hugo was opgestaan. Hij en mijn vader keken elkaar aan.

'Hij bedoelde het niet kwaad,' zei hij.

Ik keek van de een naar de ander. Vaders wangen beefden. Een tel lang bewoog er niets, behalve de kaakspieren van mijn vader. Toen tilde hij zijn stok op, gromde luid en liet zijn stok een laatste keer hard op het bord neerkomen, zodat het in twee stukken brak, die beide van tafel vlogen. Daarna richtte hij zich weer op, draaide zich om en hinkte de kamer uit. In het licht van de gang zag ik hoe hij met zijn stok putjes in het parket boorde. Oom Hugo had mijn leven gered. Kort daarop verdween hij uit mijn leven.

Derde dag

'Love is the answer, at least
For most of the questions of my heart
Why are we here, and where do we go
And how come it's so hard?'

(Jack Johnson)

30

Voordat ik echt wakker ben, ruik ik al het vochtige gras en de wilde rozemarijn. Vreemde vogels fluiten hun lied. Tussen dromen en ontwaken keren de beelden van afgelopen nacht weer terug: de achtervolging, de naakte vrouw op straat, het veld, de duizenden vuurvliegjes en Zoë's stem in het donker. De opkomende zon verwarmt mijn gezicht en kleurt de binnenkant van mijn oogleden donkerroze.

Met gesloten ogen denk ik aan wat voor ons ligt: het huis van oom Hugo. Door de gebeurtenissen van de afgelopen dagen is het in mijn gedachten alleen maar gegroeid. Alles hangt af van dat huis, als we er tenminste komen. Dan zal alles goed komen.

De twee belangrijkste redenen waarom mensen zich met moeite kunnen losrukken van Zoë's blik, als ze haar ontmoeten, zijn haar ogen. Ze zijn groot, hebben een bijzondere vorm en lijken wel gesmolten koper. Amandelvormige ogen. Om in te verdwijnen zo groot, om in te verdwijnen zo mooi. Als Zoë's gezicht een schilderij was, zou iedereen denken dat de schilder had overdreven. Maar in het echt moet je het wel geloven.

De ogen die mij door het zijraampje aankeken, toen ik de mijne opende, zijn groot en mooi. Zeer groot en mooi, nog groter dan die van Zoë. Ik moet mijn hoofd naar achteren brengen om het erbij behorende gezicht te kunnen zien. Ja, het is echt… een lama. Hij houdt zijn kop scheef en kijkt me al kauwend aan.

Aan de andere kant van een afscheiding van schrikdraad zie ik een kameel die door een lavendelveld stapt en in alle rust de mooiste bloemen staat op te vreten. Daarachter zie ik een ronde tent, met oranje en rode strepen. Het was waarschijnlijk de bedoeling dat hij netjes recht zou staan, maar nu ligt hij scheef in het veld, alsof hij er midden in de nacht is neergekwakt vanuit de hemel. In plaats van me te verbazen over de herkomst van de kameel en de tent, vraag ik me alleen af hoe deze aan de andere kant van het schrikdraad terecht zijn gekomen.

We bevinden ons in een olijfboomgaard. Na de regen van de afgelopen nacht verdringen de blaadjes zich nog nadruppend voor het beste plekje in de zon. Tussen de bomen staan nog meer dieren: dwergpony's, een uiterst treurige olifant, een zebra met doorgelopen strepen. Kennelijk hebben wij vannacht een deel van de afscheiding met het schrikdraad omvergereden of, erger nog, kapotgetrokken. Ik zie een lijn lopen vanaf onze bus tot aan het weggetje. En daar komt ook Gérard aangelopen, de eigenaar van de boomgaard. Hij heeft een mestvork in de aanslag en hij dribbelt, op rubberlaarzen en voor zover zijn dikke buik dat toelaat, door het natte gras op ons af. Dat wordt geen hartelijk welkom.

'Marc.' Ik duw tegen zijn knie. 'Word eens wakker.'

Marc doet zijn mond dicht. Hij probeert iets weg te slikken, maar wakker worden, ho maar. Ik draai aan de contactsleutel en laat de motor voorgloeien. Er scheiden ons nog 30 meter van Gérards woede.

'Wakker worden!'

Marc schrikt wakker als een kind.

Voordat hij beseft waar hij is, roep ik: 'Koppelen!' Ik start de motor en zet hem in zijn eerste versnelling. 'Gas!'

Met doordraaiende banden slingeren we over het veld; de lama gaat er in galop vandoor, evenals de beide pony's. Gérard en zijn rubberlaarzen volgen ons op een sukkeldrafje, de mestvork als een speer boven zijn hoofd. Het schrikdraad trekt strak en de paaltjes worden een voor een uit het gras getrokken. Eentje blijft vastzitten in een olijfboom, de lijn trekt nog strakker, ik zie hoe de vork op ons afkomt en op een armlengte afstand in het gras achter de bus terechtkomt. Dan zijn we eindelijk weg.

Twee minuten later wacht ons een déjà-vu: Jezus op de kruising: linksaf of rechtsaf.

'In elk geval niet naar het dorp,' zegt Bernard.

'Maar we hebben Liliths rugzak nog bij ons,' werpt Zoë tegen.

Zo staan we voor Jezus. De zon komt op, de motor reutelt, de uitlaat klappert. Rechtsaf of linksaf.

Ik heb afgelopen nacht de vloer schoongemaakt, maar aan de deur zitten nog resten van Zoë's overgeefsel. 'Ik voel me nog steeds slecht,' zegt ze nu.

'Ik heb ongelooflijke koppijn,' zegt Bernard.

'Had ik maar hoofdpijn,' antwoordt Marc. 'Bij mij doet echt alles pijn.'

'Waar wachten we eigenlijk op?' vraagt Zoë.

'Een teken?' denkt Marc.

Bernard wil in geen geval nog een keer het dorp in, waar op je wordt geschoten als je een paar letters verplaatst. 'Kunnen we die rugzak niet gewoon hier neerzetten?'

'Onder de hoede van Jezus?' Met zichtbare moeite draait Marc zich om. Zijn pijn heeft niets te maken met Jezus. Na de dag van gisteren heeft Marc werkelijk overal pijn. Bij elke beweging moet hij zichzelf weer overwinnen. 'Die geeft hem mee aan de eerste, de beste gek die voorbijkomt. Sorry, maar die Jezus van jou vertrouw ik voor geen meter.'

Stapvoets rijden we de dorpstraat in, tot aan het parkje met de oude bioscoop. Lilith is nergens te zien, alleen haar film draait nog.

SUSI GOES ALADIN

Drie bochten verder zijn we bij het grote plein. Op de kerkklok is het kwart over zes. Het dorp slaapt nog. De eerste zonnestralen beroeren net de top van het gemeentehuis. Nog steeds stapvoets sluipen we om de boulesbaan en de circustent, erop verdacht achter elk huis Maurice en zijn politieauto tegen te komen. Van Lilith is geen spoor te ontdekken.

Voor de kroeg stopt Marc. 'En nu?'

'Eerst die bus stilzetten,' zegt Zoë. 'Voordat het hele dorp wakker wordt.'

'En als hij dan niet meer start?' vraagt Bernard.

Marc draait het contact om, laat de motor uitgaan en herhaalt zijn vraag. 'En nu?'

'Ik vind dat we haar moeten zoeken,' zegt Zoë.

Bernard kijkt om zich heen. 'Ik vind dat we moeten doorrijden. Ze zei op het plein. Hier is ze niet, er is hier helemaal niemand.'

Marc en ik kijken elkaar aan, dan openen we allebei onze deur en stappen uit.

'Ik zeg al niets meer,' zegt Bernard.

We verspreiden ons allemaal in een andere richting. Als de kerktoren het halve uur slaat, komen we weer bij elkaar. Ik loop naar beneden, naar de oude wasplaats waar de muren glimmen in de zon en al langzaam opgewarmd raken. Ik kijk in alle kieren en gaten, maar behalve een hond, drie katten en een oude vrouw in een gebloemd jasschort die haar vensterbank afstoft en meteen de deur sluit als ik het steegje binnenwandel, zie ik niemand. Als ik de kerkklok hoor slaan, gooi ik een handvol water in mijn gezicht, neem een slok bronwater en loop terug.

De anderen staan al te wachten. Geen van ons heeft Lilith gezien.

'Laten we in godsnaam vertrekken,' fluistert Bernard.

De zon komt al hoger en nadert de kerktoren. Aangezien geen van ons iets beters kan bedenken, stappen we maar in.

‘Wacht even,’ zeg ik als Marc de motor start.

‘Wat nu weer?’ hoor ik Bernard zeggen.

Ik zoek in mijn spullen en schrijf het adres van Hugo’s huis op een papiertje. Ik wil er nog iets anders bij zetten, zodat Lilith zich niet eenzaam voelt als ze haar rugzak vindt. Dat ze weet dat wij er zijn en dat we op haar wachten. Mijn pen hangt boven het papier.

‘Schrijf gewoon dat ze snel moet komen,’ stelt Marc voor.

En alsof ik vandaag niet meer zelf kan nadenken, schrijf ik: Marc zegt dat je snel moet komen – Felix.

Op momenten als deze wordt me duidelijk waarom mijn leven een andere wending heeft genomen dan dat van Marc of Zoë of anderen. Geen vriendin, geen eindexamen, geen beroep. En het enige talent dat ik bezit is niet alleen nutteloos, maar ook nog eens vreselijk onsexy: wiskunde. Ik heb vrouwen meegemaakt die na vijf minuten in de nabijheid van Marc en zijn gitaar niet eens hun eigen naam meer wisten. Maar de vierkantswortel uit, laten we zeggen, 101.124, heeft nog nooit iemand haar naam doen vergeten. Het is trouwens 318. Hoe opwindend is dat? Ik schuif het briefje onder de riem van Liliths rugzak en zet deze op de stoep voor Café Louis. Daarna verlaten we het dorp met een slakkengang.

We zien de kruising al liggen en kunnen al uitkijken over het plateau, als er opeens een fles rode wijn tegen de voorruit knalt. Marc staat bovenop de rem. De ruit blijft zitten, al zit er een ster in, met daaromheen mozaïek van talloze kleine stukjes glas. Rode banen wijn lopen naar de randen. Een grote groene scherf glijdt langzaam naar beneden en petst op het asfalt. Verder gebeurt er niets. Aan de kant van de weg liggen de restanten van een kapotte koplamp. Dit is de plek waar gisteravond bijna een naakte vrouw onder onze bus liep en Maurice met zijn auto de muur ramde. Marc en ik kijken elkaar aan. Een straf van boven? Een plaag van rode wijn?

Hij wil net weer wegrijden, of er knalt een tweede fles tegen de bus. Dit keer komt hij op het dak terecht en de wijn loopt er aan de zijkant weer af.

'Fuck!' roept Zoë, die van dit gat inmiddels schoon genoeg heeft, net als Bernard.

Marc kijkt door de voorruit naar buiten, waar de blauwe hemel ons in duizend stukjes glasmozaïek tegemoet straalt. 'Ik geloof niet dat ze ons graag mogen, hier.' Nu pas valt hem op dat er geen licht van bovenaf de bus in valt. 'Wat is er met het schuifdak gebeurd?'

Ik pak de afgebroken greep uit het dashboardkastje.

'En nu heb je hem dichtgeplakt?' vraagt Marc.

'Het regende.'

'Echt?'

'Onweersbui.'

'Afgelopen nacht?'

'Best een pittige bui.'

'Hmm.'

Op de achterbank wisselen Bernard en Zoë blikken vol ongeloof met elkaar.

'Zou het misschien mogelijk zijn dit gesprek elders voort te zetten?' vraagt Zoë.

Bernard dringt nog verder aan. 'Laten we nu eindelijk vertrekken, verdomme!'

Marc kijkt sceptisch uit het raam. 'Wat vind jij?' vraagt hij aan mij.

Ik haal mijn schouders op. Hier komen we niet uit met een wiskundige formule.

Langzaam laat Marc de koppeling opkomen, Zoë en Bernard trekken hun schouders omhoog. Allebei verwachten ze een volgende inslag. Maar in plaats van een fles, loopt er een vrouw tegen de bus – voor de tweede keer binnen 24 uur en op dezelfde plek. Marc remt, doet zijn ogen dicht en draait zijn hoofd weg. De vrouw schreeuwt en deinst achteruit.

Marc opent eerst het ene oog, en dan het andere. Kennelijk is ze niet geraakt. 'Godzijdank,' roept hij.

Het is niet de vrouw van afgelopen nacht, en naakt is ze ook niet. Toch komt ze ons bekend voor. Zeer bekend zelfs.

'Dit geloof ik niet,' zegt Zoë.

'Nou geweldig,' is Bernards commentaar. 'Nog meer gedoe.'

Op Marcs gezicht verspreidt zich een brede lach. 'Godzijdank.'

31

Jeanne heeft de nacht aan de keukentafel doorgebracht. Op een gegeven moment hield ze op met voelen, was ze alleen nog een grote leegte; een niets met een stuk huid eromheen. Ze kon niet meer; zelfs haar arm optillen of een gemakkelijker stoel opzoeken was te veel. Waar ze nu was, bestond geen toekomst meer en geen verleden. Toen het onweer boven het dorp hing, had ze moeten opstaan om het raam te sluiten. Nu regent het naar binnen, op de plavuizen. Later was de eerste bergkam zichtbaar geworden in de ochtendschemering. Ze overwoog in bed te kruipen, maar bleef toch zitten.

En zo komt het dat als Jurgens zware tred te horen is op het trapje en de sleutel in het slot omdraait, de wijnfles voor twee derde leeg is, maar verder alles zo is als Jurgen het heeft achtergelaten.

Eigenlijk weet ze het al als Jurgen binnenkomt. Ze gaat weg. Maar ze kan nog steeds niets; niet opstaan, niet om een verklaring vragen, niet naar hem kijken. Maar toch, dat ziet ze duidelijk voor zich, zal ze weggaan.

Jurgen laat de sleutelbos op de tafel vallen en gaat in de plas regenwater voor het raam staan. Er hangt een whiskywalm om hem heen. Zijn kleren zijn doorweekt. Hij ziet eruit alsof hij daar al uren staat en het water uit zijn kleding is gedrupt.

'Waarom lig je niet in bed?' vraagt hij.

Jeanne antwoordt niet.

Jurgen zet zijn handen in zijn zij. Hij ademt zwaar, zoals altijd wanneer hij te veel gedronken heeft. Er stijgt damp op van zijn brede rug.

'Daar kan ik toch niets mee,' zegt hij. Aan het begin van de straat komt een auto met klapperende uitlaat dichterbij. 'Dat jij zo'n frigide muts bent.'

Jeanne ziet hoe de wijnfles, die zojuist nog voor haar stond, in Jurgens richting vliegt, zijn oor op een paar centimeter mist en door het raam verdwijnt. Voor het huis komt glas op glas terecht, er vallen scherven op het natte asfalt, er klinken piepende banden. Jurgen ziet de homobus, oranje en wit, met barsten in de voorruit. Die idioten uit de kloof.

'Niet weer hè,' mompelt hij. Tegen Jeanne zegt hij: 'Een voltreffer.' Pas dan heeft zijn brein de informatie geanalyseerd. 'Probeerde jij nou net mijn hoofd te raken?'

Jeanne is wakker geworden. Ze springt op, pakt een tweede fles uit de kast en haalt uit. Zo staan ze tegenover elkaar. Jurgen doet een stapje dichterbij. Ze ziet de snee in zijn onderlip en het bloed op zijn kin. Geschrokken registreert ze dat ze geen enkel mededelijden voelt.

'Je waagt het niet,' zegt Jurgen. En omdat hij dronken is en dus vol zelfvertrouwen, komt hij nog een stapje dichterbij. 'Straks raak je alleen maar het raam.'

Wat Jeanne woedender en tegelijk verdrietiger maakt dan al het andere, is het feit dat Jurgen haar geen andere keuze laat dan hem te verachten. Zij betekent duidelijk niets meer voor hem. Ze zwaait de fles op hem af en die zou hem zeker hebben geraakt, als hij niet een stapje opzij had gedaan. Weer vliegt hij uit het raam.

Jurgens blik houdt het midden tussen ergernis en onbegrip. 'Nou, kom op,' roept hij dan. 'Driemaal is scheepsrecht!'

Jeanne maakt een afwerend gebaar met haar handen, grijpt haar handtas en loopt op blote voeten de deur uit. Ze schaamt zich. En dat neemt ze hem misschien nog wel het meeste kwalijk: dat hij haar zover heeft gebracht dat ze zichzelf haat. Ze loopt het huis uit, de dageraad tegemoet, knijpt haar ogen toe en schreeuwt het uit als er plotseling iets groots naast haar opdoemt. Dan draait ze zich om en kijkt wat haar op een haar na miste.

Het grote ding is een oranje met witte bus. De deur gaat open en er stapt een jongeman uit. Jeanne herkent hem – het is die jongen van gisteravond, uit Café Louis. Hij had het over een liefdeslied en hoe mooi het leven is. Kom met mij mee, had hij gezegd.

Er gaat een seconde voorbij, dan nog een, daarna zijn het er vijf en uiteindelijk zijn er wel tien seconden verstreken voor ze hem vraagt: 'Is je aanbod nog geldig?'

32

Zonder zijspiegel, met een gebroken voor- en achterruit en een klapperende uitlaat, die meer uit tape dan uit chroom bestaat, rijden we over de hoogvlakte in de richting van Riez. Ik heb het stuur weer overgenomen. Marc, die nog minstens twaalf uur slaap te kort heeft voordat de teller weer op nul staat, snurkt in de bijrijdersstoel. Ze hebben allemaal een verschrikkelijke kater, maar verder is de stemming goed. Lilith is achtergebleven, maar daar is Jeanne voor in de plaats gekomen. Daarbij zijn we opgelucht dat we uit Pui weg zijn, dat dorp vol draken en wilde cyclopen. We hebben de gorges doorstaan en woeste politieagenten van ons afgeschud – wat kan ons verder nog deren?

Het ruikt naar regen, naar bloesem en vochtige aarde. De bergen, waarnaar je gisteravond je hand nog kon uitsteken, zijn nu omgeven door nevel en zien eruit als een ander continent.

'Bloed!' roept Bernard ineens.

'O,' zegt Jeanne, over wiens blote voet een straaltje bloed loopt. 'Ik ben in een scherf gestapt.'

'O jee!' Bernards schrille stem verbreekt de rust. 'Felix, stoppen – we moeten wat doen!'

Ik stuur naar rechts. Naast de weg loopt een elektriciteitslijn van houten paal naar houten paal. Rijen lavendelstruiken strekken zich uit over zacht golvende vlakten. Een landweggetje loopt naar een stenen ruïne, waarnaast rode en blauwe en gele bijenkasten kleur geven aan het landschap.

Marc zoekt achterin tot hij onder een berg touw en kabels de verbandtrommel heeft gevonden. Dezelfde waarnaar Bernard gisteren vergeefs heeft gezocht. Hij legt hem tussen Jeanne en Bernard op de achterbank, knielt met moeite voor ze neer, houdt zijn hoofd vast tot dit niet meer bonst en zegt: 'Laat eens zien.'

Bernard zou dolgraag iets doen. Hij vindt niets prettiger dan iets voor een ander doen. Maar zoveel bloed... Terwijl Marc voorzichtig Jeannes hiel bekijkt – zelf durft ze niet te kijken – en er een grote scherf uittrekt, houdt Bernard haar hand vast, met afgewend hoofd. Het zien van zoveel hulpeloosheid wordt Zoë te veel. Na een tijdje pakt zij Bernards andere hand vast. In de achteruitkijkspiegel zie ik het toonbeeld van naastenliefde: Marc aan de voeten van zijn Madonna, en Jeanne, Bernard en Zoë op de achterbank die elkaars hand vasthouden.

Marc kijkt op en glimlacht. 'Niet bang zijn,' zegt hij en trekt met zijn mond een verpakking van een drukverband los, waarna hij het gaas tegen Jeannes hiel drukt. Het is duidelijk dat hij het tegen Bernard heeft, al is het niet duidelijk waarom. 'Het is zo voorbij.'

Nog geen twee dagen geleden heeft Marc hem zitten stangen, maar vandaag hoor je in zijn stem geen spoor van ironie – geen grap, geen dubbele bodem. Hij legt het verband aan, plakt het vast met gaffertape, omdat de leukoplast op is en houdt de bloederige scherf omhoog als een zojuist verwijderde granaatscherf in oorlogsgebied.

'Het slechte nieuws is dat de voet gehecht moet worden,' zegt hij, terwijl hij de scherf in het licht houdt.

Zoë is behulpzaam op haar eigen wijze: 'Welke schoenmaat heb jij – achtendertig? Ja, dat ziet eruit als achtendertig.'

Jeanne kijkt naar haar voet en vraagt zich af hoe Zoë kan zien dat zij maat 38 heeft.

Zoë stapt uit, loopt om de bus heen, doet haar eigen koffer open en komt met een paar schoenen, gewikkeld in papier, weer terug. 'Hier,' zegt ze tegen Jeanne, 'voor jou. Zitten heerlijk.'

Jeanne haalt er een paar gouden schoentjes uit tevoorschijn, die eruit zien als gymnastiekschoenen voor kinderen. Maar ze passen wel.

Ik volg de rijen lavendelstruiken met mijn ogen, tot ze achter het vervallen huis met de bijenkasten verdwijnen. Boven het veld zoemen talloze insecten. Misschien, denk ik, gaan we allemaal weer uit elkaar zodra we oom Hugo's huis bereikt hebben, of als we weer terug zijn in Berlijn. Maar misschien, denk ik verder, is dat totaal niet belangrijk.

'Chanel?' Jeanne kijkt onzeker naar een van de schoentjes in haar handen. 'Die kosten minstens 300 euro.' Door haar accent klinkt het als 'Eaureaus'.

'Dat mag ook wel,' antwoordt Zoë. 'Want ze zijn een cadeau van Ludo.'

Voor Jeanne is dat te veel informatie. 'Wie is Loudeau?'

Zoë draait met haar grote ogen. 'Ludo is iemand die je dure cadeaus geeft, met je naar bed gaat, zweert van je te houden en dan bij zijn vrouw blijft.'

'Ach,' zegt Jeanne, 'een Fransman?' En tegen Marc zegt ze: 'Dankjewel voor het verband.'

'Jij hebt verdomd snel Duits geleerd,' zegt Marc terug.

In tegenstelling tot Pui is Riez een echte stad. De gevels zien er niet uit als het decor voor een spaghettiwestern, er staan lijnen en strepen op de straten en ze vormen een netwerk en geen doolhof. Er zijn winkels, kroegen, een apotheek. Naast de krantenkiosk hangen, aan de muur, de eerste rubberboten van het seizoen te wachten op toeristen. Ernaast hangen netten met ballen, emmertjes en schepjes, en duikbrillen.

We parkeren naast een strook groen bij het plein. Op een lager deel even verderop staan vier verlaten Korinthische zuilen. Het zijn de overblijfselen van een tempel voor Apollo uit de tijd van Asterix en Obelix, toen de Romeinen hier kwamen en de Gallische stammen naar het noorden verdreven tot er maar één Gallisch dorp over was. Met het vertrek van de Romeinen bleven slechts een enkele nutteloze tempel over, en de wijnvelden.

Samen met ons komen de eerste auto's uit de omliggende dorpen aan. Er is vandaag een braderie. Marktlui bouwen hun kramen al op. Marc en Bernard nemen de hinkende Jeanne tussen zich in en gaan op pad om iemand te vinden die op zondagochtend vroeg de wond kan hechten.

'Dan kunnen jullie zorgen voor ontbijt,' roept Marc over zijn schouder. Het ruikt al naar kaas, vis en olijven. Voor iemand die zich niet lekker voelt, doet Zoë als een bezetene inkopen: fruit, kaas, brood, drie soorten worst en een Opinel om alles klaar te maken. Ik begrijp dat een vakantie in Frankrijk zonder Opinel *not done* is.

Ik vraag me af wat Zoë doet als ze op vakantie is, maar als ik zie hoe ze zich bij de kaashandelaar laat uitleggen welke kazen hij heeft en zich stukjes laat aanreiken over de toonbank, dan weet ik precies wat zij het leukst vindt: op avontuur in Zuid-Frankrijk. 'Hier,' lachend duwt ze me een stuk kaas in de mond, 'probeer eens: geitenkaas die twee maanden gerijpt heeft.'

Voordat ik kan tegensputteren, smelt de kaas op mijn nog nuchtere tong, brengt een inferno teweeg in mijn smaakpapillen en doet mijn neus lopen.

Zoë's ogen lichten op als een stel pasgepoetste koperen muntjes. 'En?'

'Mmm,' breng ik uit en slik de kaas door.

Ze kiest drie soorten uit, drukt mij het tasje in handen en gaat ervandoor alsof ze inkopen moet doen voor een heel weeshuis.

'Hoe vind je haar?'

'Wie?'

'Nou, wie denk je?'

'Jeanne?'

'Nee, Ingrid.' Ze geeft me een por. 'Natuurlijk bedoel ik Jeanne – wie anders?'

Ik knik.

'En?'

'Wat?'

'Hoe vind je haar nou?'

'Waarom vraag je dat?'

'Zeg nou maar gewoon.'

Ik blijf staan. Wat ik van haar vind... 'Frans,' antwoord ik.

'En verder?'

'Klein.'

Zoë lacht en haakt haar arm door de mijne, alsof we morgen onze zilveren bruiloft vieren. 'Je bent lief.'

Beladen met boodschappentassen keren we naar de bus terug. Onderweg koopt Zoë nog twee cafés au lait, en omdat ze in het café geen wegwerpbekers hebben, koopt ze meteen de kopjes erbij. Als we uit de schaduw stappen prikt de zon op onze huid.

Ik laat Zoë mijn lievelingsplek zien: het dak van de bus. Het lijkt wel alsof ik haar mijn slaapkamer laat zien. In kleermakerszit gaat ze tegenover me zitten, kijkt om zich heen en ademt diep in: 'Ik snap het wel,' zegt ze. 'Ik snap het wel.' Ze bekijkt me nauwkeuriger. 'Word je nerveus van mij?'

'Hoe kom je daarbij?'

'Je zit de hele tijd in je baard te krabben.'

Ik ben inderdaad zenuwachtig. Dat kan met van alles te maken hebben: oom Hugo, de reis, het einddoel, te weinig slaap... Er gebeurt iets met me. Aan het begin was het niet meer dan een onderhuids gevoel, zoals het voortdurend brommen in een transformatorhuisje. Maar nu, op het dak van de bus, zo vlak voor de laatste etappe, heb ik het duidelijke gevoel dat ik elke dag een stuk lichter word. Elk uur dat we onderweg zijn valt er weer een stukje van een zware last van me af.

Zoë reikt me een stuk stokbrood met geitenkaas en *crème de marron* aan. Die combinatie smaakt zo intens dat ik het amper kan doorslikken. Ik houd mijn hand voor mijn ogen en zie de zon door mijn huid heen schijnen. Ik kan zelfs hier en daar een ader ontdekken. Begin ik soms op te lossen? Zal ik, als we oom Hugo's huis bereikt hebben, niet meer zijn dan een doorschijnend omhulsel dat zo kan wegzweven?

'Je hoeft niet te antwoorden als je niet wilt,' zegt Zoë.

Later ligt ze naast me op haar rug op het dak en kijkt naar de plataan die boven de bus zijn grote bladeren uitspreidt. Er staat weinig wind vanochtend. Eigenlijk geen zuchtje. De ideale omstandigheden. Ik voel aan het papier waarin de kaas verpakt zat. Het zou kunnen. Er zit was in en daarom is het nogal stijf, maar toch licht.

Als ik klaar ben met vouwen, balanceer ik het vliegtuigje op mijn wijsvinger. 'Op dikke konten...,' zeg ik.

'Vind je mijn kont te dik?' vraagt Zoë.

'Nee.' Ik denk aan Zoë die boven mij op het rotsblok stond en zich uitkleedde voordat ze in het water sprong waarin we bijna allemaal verdronken waren. Gisteren. En dan zeg ik hardop. 'Jouw kont is boven alle kritiek verheven.' En omdat ik me niet kan voorstellen dat ik dat echt gezegd heb, voeg ik er snel aan toe: 'Heb jij twee losse centen?'

Hij doet het. De perfecte balans. Tweemaal maakt het vliegtuig een rondje boven de bus voordat het afdaalt naar de tempelplaats, waar het zacht landt tussen twee zuilen.

'Dat zag er niet uit alsof het een dikke kont had,' stelt Zoë vast.

'Het is gewoon een kwestie van proportie,' zeg ik.

Zoë laat haar hoofd zakken op het dak van de bus en doet haar ogen dicht. 'Die Felix,' zegt ze, alsof ze het alleen tegen zichzelf heeft, 'voelt zich vanochtend opperbest.'

Jeannes voet is verzorgd. Ze liepen recht in de armen van de vrouw van de apotheker, die meteen de arts uit zijn bed gebeld had, die boven de apotheek zijn praktijk heeft. Twintig minuten later is de wond gedesinfecteerd, gehecht en verbonden. Ook heeft Jeanne een tetanusinjectie gekregen, nog een fijne zondag, *'pas la peine d'en parler'*, en leg je voet hoog, meisje.

Jeanne laat een lachje zien dat haar er tegelijkertijd vrolijk en treurig laat uitzien. Zoals een verhaspeld spreekwoord, denk ik, zoiets als 'als het kalf verdronken is, volgt zonneschijn'. Tussen Bernard en Marc, die haar ondersteunen, is zij een teer, bleek bundeltje melancholie, vol verstoorde dromen en geknakte wil. In de aanwezigheid van zoveel gevoelens weet Marc van opwinding niet wat hij moet doen.

Zoë kijkt naar de gouden schoentjes. 'Die staan jou duidelijk beter dan mij.'

Bernard was zo snugger bij de krantenkiosk een wegenkaart te kopen: Provence – Côte d'Azur, schaal 1:200.000. Dan weten we meteen hoelang we nog onderweg zijn. Terwijl Marc, Jeanne en Bernard in de bus zitten en ontbijten, spreiden Zoë en ik de kaart tussen ons uit. Zelfs Pui staat er op. Ik was er niet helemaal zeker van dat die plaats werkelijk bestond.

'Kijk,' wijst ze met haar vinger in de Middellandse Zee, 'daar is het toch, of niet – La Ciotat?'

Ik houd mijn vinger bij Riez. Zo ver zijn we, al dachten we van wel, helemaal niet omgereden. Er is een Route National die vanaf Riez oostwaarts gaat en daarna naar het zuiden afbuigt. Hij wisselt regelmatig van naam – D11, D13, D71, D554, D560, N560 – maar uiteindelijk leidt hij onherroepelijk naar La Ciotat.

'Hoe ver is dat nog?' vraagt Zoë.

Op de kaart lijkt het alsof we half Frankrijk moeten doorkruisen, maar de schaal biedt uitkomst. In werkelijkheid zijn het nog maar...

Ik voel een brok in mijn keel. 'Honderdtwintig kilometer.'

'Meer niet?' Zoë's ogen lichten weer op zoals daarstraks, toen ze mij de kaas liet proeven. 'Wat denk je, hoelang doen we daarover?'

Ik voel de sleutel in mijn broekzak. Ik voel de brok nog duidelijker zitten. 'Twee uur?' zeg ik aarzelend.

'Dat betekent dat we er om elf uur kunnen zijn?'

'Denk het wel.'

'Waanzinnig! Hé, jullie daar beneden, op de goedkope zitplaatsen!' Zoë slaat met haar hand op het dak en buigt zich voorover over de reling. 'We zijn er vanmiddag al!' Ze kijkt me lachend aan en pakt mijn hand. 'Nu ben je pas echt zenuwachtig, of niet?'

'Ik heb het gevoel dat deze reis ons allemaal een beetje nerveus maakt,' antwoord ik.

Zoë knijpt in mijn vingers. 'Als ik jou was, zou ik het ook zijn.'

Voordat we van het dak klimmen, raakt ze me nog een keer aan. 'Weet je wat zo gek is?' Met een gebaar, dat alleen vrouwen met lang haar kennen, werpt ze d'r haar naar achteren. 'Ik dacht altijd dat je alleen maar met mij optrok omdat Marc met mij bevriend is.'

Het zonlicht breekt door de bladeren en speelt over haar ontblote hals.

Ik antwoord: 'En ik dacht altijd dat jij alleen met míj optrok omdat ik met Marc bevriend ben.'

33

Vanaf nu zit Zoë naast mij, met haar rug naar de rijrichting en de blik naar het verleden, met de kaart op schoot. Nu kunnen we eigenlijk niet meer verkeerd rijden, maar toch controleert ze heel getrouw elk gehucht op de kaart. Het liefste zou ze de kaart ophangen en er naalden met vlaggetjes in steken.

In de achteruitkijkspiegel zie ik Jeanne, met haar been op de uitklapstoel; Marc, die eruitziet alsof hij een onbekende drug heeft genomen en nu wacht op wat er met hem gaat gebeuren; en Bernard die vooral uit het raam kijkt en zich afvraagt waarom híj altijd degene is die overblijft. Het vijfde wiel aan de wagen.

Ik rijd niet harder dan zeventig, zelfs als de weg vlak is. Anders drukt de wind de voorruit naar binnen. Quinson is de eerste plaats na Riez. Nog voordat we die bereiken, gaan Jeannes ogen dicht en valt haar hoofd zwaar op Marcs schouder. Amper hebben we het dorp verlaten of ook Marc is in slaap gevallen.

De hoogvlakte ligt achter ons. We zetten koers naar een bergketen. Terwijl de zon stijgt, varieert het landschap tussen dood en leven. Aan dorre wijnstokken hangen schaamteloos groene bladeren. Even later wendt de weg zich door platgebrande bossen, waarvan niets meer is overgebleven dan as en verbrande staken.

Langzaam komen de bergen op ons af. Ze zijn niet extreem hoog, nog geen duizend meter en het zijn de laatste bergen die we zien. Daarachter ligt de zee. We zijn de eerste uitlopers al gepasseerd en rijden door St. Maximin als we bij een rotonde komen waarop in het midden huizenhoge palmen staan.

'California, here I come,' neuriet Zoë.

Ook Bernard is in slaap gevallen. In zijn slaap lijkt alles van hem af te vallen. Net als bij Jeanne en Marc. Het beeld van naastenliefde is een beeld van vrede geworden.

'Denk je dat je al kunt zwemmen?' vraagt Zoë.

'Bedoel je in zee?'

Ze knikt.

'Gisteren was je bijna verdronken,' zeg ik verbaasd. 'En nu wil je al in zee zwemmen?'

'Gisteren was gisteren, vandaag is vandaag.'

Ik dacht altijd dat je de zee zou kunnen ruiken en proeven, voordat je hem zag. Maar dat is niet zo als je La Ciotat inrijdt. De geur van de stad overheerst. La Ciotat stinkt. De straatjes zijn nauw, de auto's rijden dicht op elkaar en over alles hangt een zweem van diesel en vochtig beton, wat me automatisch terugvoert naar de verwarmingskelder uit mijn kindertijd. Wel kun je zien waar de zee is, omdat de hijskranen van de zeehaven boven de stad uitsteken.

Het centrum lijkt wel een bouwplaats. Waar je heen wil, interesseert niemand. Het is niet zoals met Jezus, die je laat kiezen tussen links en rechts. Hier drijven politiemannen met norse koppen het verkeer als vee in nog smallere straten, tot iedereen zijn oriëntatievermogen kwijt is. Wie blijft staan, krijgt een bon. Op de lichtreclame boven de apotheek knippert in het groen de temperatuur: 34°.

'Ze spelen blindemannetje met ons,' merkt Zoë op.

'Wat is dat?' vraag ik.

'Blindemannetje? Dat speel je toch met verjaardagen? Dan krijgt iemand een blinddoek voor en wordt hij net zolang rondgedraaid tot hij draaierig is. Daarna moet hij door de kamer lopen en de anderen proberen te pakken. Ik deed nooit mee, omdat ik het zinloos vond.'

Ik zeg niets terug. Ik werd nooit uitgenodigd op kinderfeestjes.

'Dat ken je toch wel, of niet?' vraagt Zoë.

'Ja,' antwoord ik. 'Tuurlijk.'

Er zijn ook mooie stukken in La Ciotat. De jachthaven bijvoorbeeld, met honderden witte, glimmende boten en de kerk, die vlak naast de boulevard ligt. Maar daar krijgen we niets van te zien. De steeg waarin wij ons bevinden komt uit bij de zeehaven. Hier is alles bedekt met een laag wit stof, alsof het poedersuiker is. Je kunt niet eens zien waar de straat ophoudt en de kade begint. De pakhuizen, die vlak naast elkaar staan en elk zo groot zijn als hangars lijken te zijn gebouwd op woestijnzand.

'Moet je kijken,' zeg ik, als er achter twee van die hallen een stukje blauw opduikt, 'de zee.'

'Heel idyllisch.' Er dendert een kiepauto voorbij die zijn bandafdrukken in het stof achterlaat. 'Ik had iets meer romantiek verwacht,' zegt Zoë.

'Het huis van mijn oom ligt erbuiten, voor zover ik weet, richting Cassis.'

'Voor zover je weet?'

'Dat zei de notaris.'

Zoë kijkt me aan alsof ik haar zojuist vertel dat het huis van oom Hugo in werkelijkheid in Zweden ligt. 'Betekent dat dat je niet precies weet waar we naartoe moeten? Geen kaartje, geen luchtfoto, geen plattegrondje, niets?'

'Ik heb het adres.'

'Veel geluk!' schampert Zoë. 'Ik zal je vertellen dat ik als advocaat van de tegenpartij binnen tien minuten gehakt van je maak, met zo'n slechte voorbereiding.'

'Ik ben toch geen advocaat,' werp ik tegen.

'Nee, jij bent...' Zoë's blik gaat naar het witte stoflandschap om ons heen. 'Weet je? Ik heb nooit helemaal begrepen wat jij bent.' Ze draait haar hoofd om en kijkt me aan. 'Wie ben jij, Felix?'

Ik voel het bloed naar mijn hoofd stijgen. Daarbinnen zijn nog zoveel deuren die ik nog nooit open heb gedaan. Het aantal alleen al maakt elke poging ondoenlijk. 'Ik geloof niet dat ik...'

'Het is al goed.' Zoë veegt haar haren uit het gezicht. 'Maar denk maar niet dat ik die vraag zomaar vergeet.'

Ik probeer te lachen.

'Slijmen helpt niet,' gaat Zoë verder.

'Kunnen we niet gewoon doorrijden naar het huis van mijn oom?'

'Het is dat je het zegt, maar eh, hoe wou je daar terechtkomen?'

Ik frons mijn voorhoofd. Op de een of andere manier dacht ik dat we het huis vanzelf zouden vinden als we daar waren. Alsof het op ons zou wachten.

'Stop eens,' zegt ze.

We staan voor de ingang van een overslagplaats. Elke minuut verschijnt er een vrachtwagen waarvan de chauffeur een papier uit het raam steekt en wacht tot de hefboom omhooggaat, zodat zijn tientonner op pad kan. Het portiershok bestaat uit twee op elkaar gestapelde containers, die zijn verbonden met de rest van de wereld door middel van een snoer.

Zoë pakt haar handtas, klapt haar make-upspiegel open, bestudeert haar lippen, doet d'r haar goed en knoopt haar bloesje zover open dat haar zwarte beha zichtbaar is. Heel goed zichtbaar zelfs.

'Hoe zie ik eruit?'

'Eh... ik zou zeggen, goed.'

'Nou, als dat alles is...'

Ze buigt zich over me heen. Onwillekeurig sluit ik mijn ogen. Haar adem strijkt langs mijn oor. Ze ruikt naar lavendel en honing. Vlak daarna raken onze lippen elkaar. Haar sexy beha drukt tegen mijn arm, haar tong woelt in mijn mond...

Als ik mijn ogen opendoe, zie ik Zoë met mijn adresbriefje naar de overkant lopen en knipogen. Dan klopt ze op de deur van de container.

Een dikke man met heel korte benen opent de deur. Zijn gezicht bevindt zich op de hoogte van Zoë's decolleté. Hij draagt een lichtblauw overhemd met korte mouwen en zweetvlekken onder de oksels en een donkerblauwe pet met klep. Hij moet zijn hoofd ver achterover laten hangen om Zoë aan te kunnen kijken.

Zoë praat op hem in, laat hem het adres zien en gebaart in mijn richting.

De man trekt aan zijn pet, kauwt op zijn kauwgum en kijkt in Zoë's decolleté.

Zoë vouwt haar handen samen en houdt ze smekend voor haar gezicht, wippend op de ballen van haar voeten – alstublieft! Haar blanke huid ziet eruit als gehouwen marmer.

De man slaat zijn armen over elkaar.

Zoë lacht.

De man laat haar binnen.

Ik vraag me af wanneer ik Zoë voor het laatst zo levendig heb gezien. Er komt weer een vrachtwagen voorbij. De bus schudt ervan. Op school misschien. Toen de hele wereld nog voor ons openlag. De drie op de achterbank vertrekken geen spier. Ook Bernards hoofd rust inmiddels op Marcs schouder. Marcs eigen hoofd wordt door dat van de twee anderen ondersteund. Misschien wel nooit eerder, denk ik. De deur van de containers gaat open, Zoë stapt naar buiten en wappert met twee bedrukte A4'tjes. Het middaglicht is zo schel dat haar contouren onzichtbaar zijn.

'Dat is een foto,' zeg ik als ze mij de afdruk geeft. Daarop is de haven in vogelperspectief te zien, maar wel met straatnamen erop.

Zoë legt haar hand op mijn arm. 'Let op, Felix: als ik op een dag schoon genoeg heb van dit leven, dan stuur ik je een postduif en dan mag je mij meenemen naar je eigen planeet, oké? Tot die tijd doen we net alsof we op de aarde wonen. Dit hier is, zoals je net al opmerkte, een foto van de haven. Die komt van Google Earth. Daarmee kun je van elke plek op aarde een foto maken. Dit punt hier,' ze neemt haar hand van mijn arm om het aan te wijzen, 'is ons einddoel. En wij staan hier, voor deze hangar. Dat betekent... zie je die rots?'

Ik kijk uit het raam. Schuin rechts voor ons, na ongeveer een kilometer stijgt er een rode rotswand uit de zee. Deze is ongeveer 150 meter hoog. 'Bedoel je die?'

'Precies. Daar moeten we naar boven, dan eromheen, en dan moet het hier zijn, aan het einde van deze weg.'

Ik kijk naar de foto. 'Maar daar is geen huis.'

'Als het adres klopt, dan is daar een huis.'

De straat waaraan het huis van mijn oom zou moeten liggen, gaat door een pijnbomenbos en eindigt op een soort parkeerplaats halverwege de rots. Van de stad zie je niets meer. Ik parkeer naast een zilvergrijze Mercedes. Nu kan ik wel de zee ruiken en de branding horen. Alleen kan ik deze niet meer zien. Vanaf de parkeerplaats voeren twee paden allebei een andere kant op. Het ene pad gaat langs een in de rotsvloer uitgehakte trap om de baai heen. Het andere slingert door de bomen naar beneden. Zoë en ik stappen uit en rekken en strekken onze benen. Het zal nog dagen duren voordat onze lijven weer normaal aanvoelen. De anderen roeren zich niet. We zouden de bus zo de klip af kunnen sturen, zonder dat ze wakker worden.

'Ben je niet moe?' vraag ik.

'Jawel.'

'Waarom slaap je dan niet zoals de anderen?'

'Is dat een strikvraag?'

'Ik vraag me gewoon af waar je de energie vandaan haalt.'

'Vraag liever waar jíj de energie vandaan haalt. Je slaapt al bijna helemaal niet.'

'Ik eet ook niet.'

Zoë schuift haar zonnebril omhoog. 'Dat begrijp ik niet.'

'Als je niets eet, heb je ook geen slaap nodig.'

Zoë werpt me net zo'n blik toe als eerder die dag. Alsof ze zich afvraagt uit welk hol ik ben gekropen. 'Is dat een grap?' vraagt ze.

'Ja.'

Ze draait zich om. 'Als dat een grap moet voorstellen,' mompelt ze voor zich uit, '...dan moet er nog heel wat gebeuren.' Nu draait ze zich weer om naar mij. 'Wat wil je eerst doen?' Ze knikt naar de beide paden. 'Naar de zee, beneden, of het huis bekijken?'

Ik zou haar dolgraag over het visioen vertellen dat ik beneden, bij de haven had, over haar aanraking en haar kus.

'Rechts of links?' zeg ik hardop.

'Rechts of links,' bevestigt Zoë.

'Ik denk dat ik liever het huis bekijk,' zeg ik.

'Nou, kom op dan.' Zoë pakt mijn hand beet en trekt me achter zich aan het bos in.

Tussen de bomen hangt een geur van hars en dennennaalden. Onder onze voeten knisperen de gevallen naalden. Uit de baai beneden komt een ziltig briesje omhoog.

Het pad loopt om vele rotsblokken, en na ongeveer 50 meter doemt er tussen de bomen een wit gekalkte muur op. Ik blijf staan. Zoë heeft het nog niet gezien. Ik laat haar hand los.

'Wat is er?' vraagt ze.

'Daar is het,' antwoord ik.

Zoë volgt mijn blik. 'Hoe weet je dat?'

'Geen idee.'

Door een tweedelig smeedijzeren hek dat toegang biedt tot wat achter de muur ligt, zien we even later het huis en de grond eromheen. De tuin ziet er nogal wild uit, maar wel verzorgd. Voor het terras groeien verschillende struiken: buxus, steeneik, rozemarijn... van alles is een exemplaar aanwezig. Als een soort ark voor planten, vind ik. Langs de zuilen van de veranda groeit een wingerd omhoog. Door de tralies van het hek kan ik de zoete geur van de bloeiende rododendrons ruiken. Alles wordt tegengehouden door de muur – het leven van alledag, lawaai, jaloezie. Het is een toevluchtsoord voor een mens die de rest van de wereld graag zijn rug toekeert.

Het huis schemert in een warme, zachtrode tint door het groen. Het is groter dan ik dacht. Geen bouwkeet, maar een echt huis, met kamers, waarvan bij sommige de luiken open zijn. Door het hek kijk je naar de achterkant van het huis, naar het terras. De voorkant is bereikbaar via een pad langs de schaduw van de muur. Daarachter strekken vijf cypressen zich als groene pijlers uit naar de lichte hemel. Tussen de bomen vliegen vogels die ik niet herken. Als ik me omdraai wordt me duidelijk waarom oom Hugo het hek op deze plaats heeft gemaakt: van hieruit kun je de zee door de bomen zien schemeren.

'Heb je de sleutel?' vraagt Zoë.

Heb ik. Maar ik heb hem niet nodig. Het hek is open. Zoë en ik kijken elkaar aan, dan duw ik de poort verder open. De scharnieren piepen. Twee hagedissen verdwijnen in een kier in de muur. We nemen het pad naar de voorkant, tot we voor de voordeur staan, die wordt beschaduwd door de bomen.

Mijn sleutel past niet.

'Toch niet het juiste huis?' vraagt Zoë.

Ik wijs op het slot. 'Daar zit een nieuwe cilinder in.'

Zoë bestudeert het glanzende slot. 'En nu?'

'Naar het terras?' stel ik voor.

De buitendeuren zijn niet op slot, binnen staan de glazen deuren open. Weer kijken we elkaar aan. Wat nu? Zoë duwt met een vinger tegen het glas. De deur zwaait verder open.

De terracottategels glanzen warm in het zonlicht, de ruimte ontwaakt als uit een middagdutje. Onze schaduwen zijn reeds het huis in geslopen. Zoë maakte een gebaar met haar hand en wijst met haar slanke vingers naar binnen – een geste als op een schilderij uit de renaissance.

'Bienvenu, monsieur,' zegt ze...

Als we binnen zijn, hebben we weer zo'n vreemd gevoel. Het huis voelt levend. Zijn geest waart hier nog rond, denk ik. Alsof oom Hugo alleen maar even inkopen aan het doen is en zo weer terugkomt. Dan zie ik de voetafdrukken in het fijne stof dat op de vloer ligt.'

'Ik dacht dat je oom dood was,' zegt Zoë.

Alweer word ik teruggeleid naar mijn kindertijd. Het duurt even voordat ik doorheb waarom. Het ruikt naar de pijp van oom Hugo. De geur van Kerstmis uit mijn kindertijd. Tegelijkertijd gaat er een alarmbel rinkelen. Er is nog iets anders. Wegwezen, denk ik, maak dat je wegkomt.

Ik zoek naar een teken, naar iets wat dit gevoel kan onderbouwen, als ik het geluid van stromend water hoor – een doorgespoeld toilet. Een tel later gaat op de gang een deur open. Voor de derde keer kijken Zoë en ik elkaar vragend aan. Harde stappen klinken hol door de gang. Frikadel. De alarmbel. Hoe kan het zijn dat het zelfs in Zuid-Frankrijk naar een frikadel ruikt als hij er heeft zitten schijten. Dan gaat de deur van de woonkamer open.

'Het werd zo langzamerhand wel eens tijd dat je kwam,' zegt hij bij wijze van groet. 'Ik heb tenslotte niet eeuwig de tijd.'

34

'Ik wil het huis.'

Het is een constatering. Hij is gewend dat hij, door dingen stellig te zeggen, alles voor elkaar krijgt. Als hij zegt: 'Ik wil het huis,' is het al bijna van hem. Hij staat voor me, zoals hij voor me stond toen ik nog kind was. Ik verwacht half dat hij zal zeggen: 'Ga je zelf, of moet ik je sturen?'

Zijn hele houding is die van iemand die nooit rekenschap hoeft af te leggen, zijn voorkomen is feilloos: gemanicuurde vingers, duur horloge, goed geknipt, mooie schoenen, goed pak – helemaal perfect. Maar toch begint zijn leeftijd hem dwars te zitten. Hij heeft dikke wallen die op zijn wangen hangen en zijn haar wordt langzaamaan doorzichtig.

'Is dat je oom?' vraagt Zoë.

'Nee, mijn vader.'

Hij ziet het einde naderen, gaat het door mijn hoofd. Het is nu nog maar een punt in de verte, maar dat wordt snel groter. En het enige wat hem rest is het gevecht. Een gevecht dat hij vroeger of later zal verliezen. En niemand heeft er zo'n hekel aan om te verliezen als mijn vader. Bang. Hij is bang om de werkelijkheid te zien; om te zien dat hij aan het einde van de rit niet meer is dan een met geld gevulde zak. Het ligt er zo dik bovenop dat ik me afvraag waarom ik eerst 26 moest worden en vervolgens hierheen komen om te zien dat het angst is wat hem drijft. Dat hij voor zichzelf wegrent.

'Ik dacht dat het huis van jou was,' zegt Zoë.

'Zo staat het ook in het testament,' zeg ik.

'Maar het hoort míj toe,' gaat mijn vader verder. 'Hugo was míjn broer. Jij kunt niet eens het gas en licht betalen. En bovendien voel jij je in dat hondenhok van je veel beter dan hier.'

Zoë wacht op mijn antwoord. Maar ik sta daar maar en kan niet antwoorden. Mijn tong is als verlamd, mijn armen hangen stijf naast mijn lichaam.

Kaartenhuisgetallen. Eigenlijk zijn het vijfhoeksgetallen. Maar ze geven aan hoeveel kaarten nodig zijn voor een kaartenhuis: 2, 7, 15, 26, 40, 57 en zo verder. Ik stel me een stapel kaarten voor die nooit kleiner wordt. Niemand kan mij grenzen opleggen. Ik begin bij 155, dus bij de tiende etage. Voor de elfde etage heb ik 32 kaarten extra nodig, dat is 187. Voor de twaalfde etage 35 = 222. Verdieping 13: plus 38 = 260

Het is lange tijd stil, het lijkt wel uren, totdat Zoë de stilte verbreekt: 'Heeft u de sloten vervangen?'

Mijn vader, die Zoë tot die tijd geen blik waardig heeft gekeurd, neemt haar uitvoerig op: 'En wie mag jij zijn?'

301

345

392

442

495

Zoë doet een stap naar voren. 'Ik ben de advocaat van Felix.'

Ze merkt dat ik naar haar kijk, maar blijft mijn vader aankijken. Na een minuut heeft mijn kaartenhuis 40 verdiepingen, is zo hoog als een olifant en bestaat uit 2.240 kaarten.

Mijn vader lacht kort: 'Hoor eens, kindje,' begint hij, 'dit is een zaak tussen mij en mijn zoon en als ik jouw mening wil horen, dan vraag ik er wel naar.'

Hij wil zich weer tot mij wenden, maar als er iets is waar Zoë allergisch voor is, dan is het wel als ze niet serieus wordt genomen. Nu is hij voorlopig nog niet van haar af.

2.542

2.667

2.795

2.926

3.060, de 45e etage is voltooid. Ik sta voor een muur van kaarten.

'Of mijn mening u interesseert, is volledig irrelevant,' zegt Zoë. 'Heeft ú die sloten laten vervangen?'

Zijn stem verplaatst lucht als een boeggolf: 'Uiteraard heb ik die sloten laten vervangen, wie anders?'

Zoë verplaatst haar gewicht van haar ene op haar andere been en slaat haar armen voor de borst – de onderhandelingspose voor gevorderden. 'Nou meneertje, dan zit u mooi in de stront.'

'Pardon?' Zijn stem zwelt aan tot orkaankracht. 'Hoe bedoelt u?'

3.197

3.337

3.480, 48 verdiepingen. Mijn kaartenhuis is nu hoger dan het huis van oom Hugo.

'U zit in de stront,' verklaart Zoë met uitgestreken gezicht. 'U krijgt in elk geval een proces-verbaal aan de broek wegens inbraak met diefstal. Volgens paragraaf tweeënveertig van het Wetboek van Strafrecht staat daar vijf jaar detentie op, ook als het , zoals in uw geval…'

'Hou je mond, brutale meid!' beveelt mijn vader.

'… ook als het in dit geval niet om roerende goederen gaat. Voor de volledigheid: "Het is diefstal als de dader hem niet toebehorende goederen heeft verwijderd en nieuwe heeft aangebracht".'

Plotseling wordt het donker, maar dat heeft niet zozeer met mijn vader te maken, als wel met het feit dat Marc, Jeanne en Bernard op het terras verschijnen en aarzelend naar binnen kijken.

Zoë begint te tellen op haar vingers: 'En verder – kom maar binnen hoor, hoe meer getuigen, des te beter –, verder heeft u zich schuldig gemaakt aan vandalisme. Dat is ook strafbaar volgens dezelfde paragraaf, maximaal drie jaar gevangenschap. En ten derde heeft u zich volgens paragraaf drieëntwintig en vierentwintig van het Wetboek schuldig gemaakt aan huisvredebreuk. Dat is eveneens strafbaar.'

Marc, Jeanne en Bernard zijn intussen binnengekomen en staan voor de deur van de serre, alsof ze op appèl staan bij mijn vader. 'Dag meneer Neubauer,' zegt Marc.

Ik pak een volgende kaart van de stapel, slinger hem mijn kaartenhuis in en laat de hele boel instorten. Voor me liggen 3.481 kaarten die zich voor mijn geestesoog laten verdelen over 59 stapels met elk 59 kaarten.

Mijn vader blaast zich op als een zeppelin. 'Ik wil dit huis, dus krijg ik het ook!'

Zoë, die zich intussen voor mij heeft opgesteld, legt er nog een tandje bovenop. 'Wat u krijgt is een hoop gezeik. Volgens de volgende paragraaf is huisvredebreuk van toepassing op: "hij die zich de toegang heeft verschaft door middel van braak of inklimming, valse sleutels, een valse order of een vals kostuum, of die, zonder voorkennis van de rechthebbende en anders dan ten gevolge van vergissing binnengekomen, aldaar wordt aangetroffen in de voor de nachtrust bestemde tijd, of wordt geacht te zijn binnengedrongen". Met andere woorden,' en nu maakt Zoë zich groter: 'als u niet vliegensvlug dit erf verlaat, dan laat ik u aanklagen!'

Ik maak de hoeveelheid kaarten kleiner, waarbij ik zowel de stapels, als de hoeveelheid kaarten erop steeds met een verminder: 3.481 – 59 – 58 = 3.364, oftwel 58 stapels met 58 kaarten. 3.249. 57 stapels met 57 kaarten.

'Zeg hoor eens, groentje: dit zijn geen zaken voor kinderen. Die paragrafen van jou interesseren me geen bal. Ik heb wel twintig advocaten voor me werken die de hele dag niets anders doen dan ervoor zorgen dat dat soort paragrafen geen enkele betekenis hebben. Dus ik laat me zeker niet door een of ander paragraafje wegsturen!'

Ineens is het doodstil. Zoë heeft al haar kruit verschoten, evenals mijn vader. Geen van beiden wijkt. De vogels in de tuin beginnen weer te zingen. Vanzelf zal hij niet vertrekken, zoveel is duidelijk. De vraag wie er gelijk heeft, heeft te maken met moraal, en met zoiets kan mijn vader niet uit de voeten. Het verveelt hem zelfs. Alle blikken richten zich nu op mij.

Mijn kaartenstapels krimpen bliksemsnel: 3.136, 3.025, 2.916, 2.809, 2.601, 2.500, 2.401… Uiteindelijk ligt er nog maar één kaart voor me; degene waarmee ik twee minuten geleden mijn kaartenhuis van 48 verdiepingen heb laten instorten. Ik zie verwonderd dat mijn laatste overgebleven kaart twee zijden heeft. Er staan geen afbeeldingen of cijfers op, alleen maar twee kleuren: zwart aan de ene kant, wit aan de andere.

'Is er hier een schaakbord?' vraag ik.

'Wat?!' roept mijn vader, omdat hij het haat als hij van zijn à propos wordt gebracht.'

'Weet je of er hier een schaakspel in huis is?' herhaal ik mijn vraag.

'Natuurlijk. In de studeerkamer.'

'Dan spelen we erom,' stel ik voor.

'Wat?' Als hij gevangenzit in zijn eigen gramschap, moet je hem alles twee keer uitleggen.

'We spelen erom,' leg ik uit. 'Als jij wint, krijg jij het huis. Als ik win, verlaat je mijn huis – en mijn leven.'

Achter zijn vlezige wangen beginnen zijn kaken te malen. Je kunt het knarsen van zijn tanden horen. Hij kijkt van Bernard naar

Jeanne naar Marc naar Zoë naar mij. 'Bah!' Hij draait zich om en stapt de kamer uit. 'Deze kant op!'

Als ik de kamer verlaat hoor ik Marcs stem achter me: 'Jezus, man, laat je niet gek maken!'

35

In oom Hugo's studeerkamer ligt parket, terwijl in de rest van het huis plavuizen liggen. Ik aarzel als ik in de deuropening sta. Als ik in de woonkamer al het idee had dat oom Hugo alleen even weg is om een boodschap, dan heb ik hier het gevoel dat hij aanwezig is.

Het bureau is opgeruimd, alsof de eigenaar wist dat hij niet zou terugkeren. De pijp ligt uitgeklopt in de asbak, in een kistje van gedraaid hout liggen potloden en pennen; het bijbehorende bakje voor post is leeg. Alles is leeg. Schuin op de bureaulegger ligt een vulpen. Over de stoel hangt een stokoud wollen vest, voor als het 's avonds koud wordt. Twee wanden zijn volgebouwd met boekenkasten. De meeste boeken zijn naslagwerken, klassiekers en medische vakboeken en op jaargang geordende tijdschriften. In een nisje staat een ronde tafel met een in het blad ingewerkt schaakbord, met links en rechts een stoel.

De schaakstukken staan al op de beginposities. Ik raak de tafel aan en bestudeer de stukken. Oom Hugo speelde het liefste met zwart, dat weet ik nog goed.

'Jij mag wit zijn,' zeg ik en ik wijs op de stoel in de hoek.

Nog voordat hij gaat zitten brengt mijn vader al zijn eerste pion in het spel. Ook de volgende zetten volgen elkaar snel op. Hij opent het spel alsof hij mijn pionnen voorbij moet hollen en mijn koning bruut moet veroveren. Als we pas zes zetten verder zijn, beheersen zijn stukken tweederde van het veld. Als in slow-motion zie ik hoe hij een eerste gat slaat in mijn dekking en mijn pion opzijzet. Na elke zet veegt hij zijn hand af aan zijn broekspijp.

Ik heb oom Hugo destijds wel gevraagd waarom hij mijn vader nooit liet winnen. Hij antwoordde dat hij het gevoel had dat mijn vader hem uitdaagde om hem te laten verliezen. Voor het eerst wordt me nu duidelijk hoeveel ik oom Hugo de afgelopen twintig jaar heb gemist en hoezeer zijn vertrek een leegte bij mij heeft achtergelaten. Intussen heeft de pion aan de buitenkant gezelschap gekregen van een beroepsgenoot en het gat in mijn dekking is groter geworden. Loslaten, zegt Zoë, dat kun je als de beste. En ik hang te weinig aan het leven. *Is er ook iets wat je graag vast wilt houden?*

Ik zou kunnen proberen het huis vast te houden. Maar wat win ik daarmee? Mijn vader wil het veel liever dan ik. En de reden waarom ik op deze aarde ben, achterhaal ik zonder huis net zo goed als met huis. Misschien heb ik voor de rest van mijn leven geen last meer van hem als ik hem laat winnen. Daar kan geen bezit van de wereld tegenop. In mijn 'hondenhok' had ik nergens te kort aan; ik heb er in elk geval niets gemist. Misschien, speelt het door mijn hoofd, heb ik dat huis alleen maar geërfd om deze reis te kunnen maken. Ik bespeur een glinstering in mijn vaders ogen en als ik op het bord kijk heeft hij mijn paard geslagen, dat bij mijn pion stond en van de kant het gebeuren volgde.

Er liggen al twaalf zetten achter ons. Als ik zo verder speel, kan mijn vader mij in even zovele zetten schaakmat zetten. Ik gebruik de volgende drie zetten om mezelf zo te positioneren dat zijn stormloop in elk geval vertraging oploopt. Toch verlies ik nog een pion en ook een toren. Voor de toren moet mijn vader zijn eerste stuk, een paard, opofferen. Maar dat vindt hij bij deze stand geen punt, zie ik aan zijn grimas. Daar komt de volgende aanvalsgolf, ditmaal over de flanken.

Ik zie Napoleon, met het hoofd van mijn vader, die met duizend getrouwen de route aflegt die later naar hem genoemd zal worden, altijd vooraan en bereid om alles te verslaan wat zich niet vrijwillig aan hem gewonnen geeft. Alle kracht gericht op één doel: Parijs. De koningszetel. *Je moet de goede kant op denken*, zoals Liliths zwager zei.

Het ongeduld van mijn vader wordt groter. Eerst leek het op een snelle overwinning uit te lopen, nu stagneert het spel. Naast de vele tijdschriften en vakboeken in Hugo's kast ontdek ik een plank met kinderklassiekers: *Michiel van de boerenhoeve, Niels Holgersson, Pippi Langkous, Momo en de tijdspaarders…* Ondanks zijn overduidelijke overmacht, ziet mijn vader geen kans om mijn burcht te bestormen. Mijn handen zijn echter gebonden. Ik kan niet meer doen dan wachten op een fout van mijn vader. Drie zetten lang lukt het hem om zijn stukken op hun plaats te houden, dan brengt hij zijn zwaarste geschut in stelling: zijn dame.

Onder de kinderboeken bevindt zich ook *Jim Knoop en Lucas de Machinist* van Michael Ende, een wereld vol sprookjesachtige plaatsen en wonderlijke wezens. Ik herinner me nog de draak Knarstand, en hoe dankbaar deze was dat Jim en Lucas hem overwonnen hadden, zonder hem te doden. Zo kon hij de gouden draak van de wijsheid worden. Een pion van mijn vader, die aan twee zijden gedekt wordt, heeft de burchtmuur bedwongen. Ik kan hem van de muur afstoten, maar niet zonder daarvoor een pion prijs te geven. 'Iemand die boos doet, is niet bijzonder gelukkig,' verklaarde de draak Knarstand, en dat draken alleen maar boos doen omdat er dan iemand op hen afkomt om hen te bevechten.

Mijn vader heeft de koningszetel al in het vizier en slijpt zijn messen al. Na elke zet tikt hij ongeduldig met zijn vingers op het tafelblad. Het lukt niet. Het winnen. Tenminste, niet bij mijn vader. Ook al heeft oom Hugo het steeds opnieuw geprobeerd. Het leven is tenslotte geen sprookje. Ik haal mijn paard uit zijn dekking en zet zo de poort open voor zijn laatste stormloop. Meteen brengt hij zijn loper in het geweer, infiltreert mijn burcht en ziet, zodra hij zijn vinger van het stuk licht, dat mijn paard met de volgende zet zowel zijn koning als zijn dame bedreigt.

Vanaf het moment dat hij dat inziet, verandert de blik in zijn ogen. Zijn onomstotelijke overtuiging dat niets is, wat het niet zijn kan, komt in botsing met het niet te negeren feit dat hij in zijn eigen val gelopen is. Als hij mij aankijkt, zie ik vooral ongeloof in zijn blik. Hij kan niet begrijpen dat ik daadwerkelijk het hoogste verraad heb gepleegd dat mogelijk is: vadermoord.

'Het spijt me,' zeg ik.

Na het verlies van zijn dame duurt het nog negen zetten, voordat mijn vader zijn stoel omgooit en uit de kamer, uit het huis en uit mijn leven beent, zonder de partij te beëindigen. Niemand zou hem er ooit toe kunnen brengen een nederlaag te accepteren.

Ik hoor dat de deur naar de serre dicht wordt gegooid en dat er daarbij een ruit sneuvelt. Dan is hij weg. Ik hoor snelle voetstappen in de gang en dan staan ze in de kamer: Marc, Zoë, Bernard en Jeanne.

'Ik geloof het niet,' zegt Marc. 'Maar je hebt het werkelijk geflikt.'

'Ik wilde gewoon dat hij me met rust zou laten.'

En dan stormen ze op me af, Marc trekt me omhoog uit de stoel en we omhelzen elkaar alsof ik wereldkampioen ben geworden. Als we weer in de woonkamer zijn voel ik me wankel op mijn benen.

'Ik dacht nog dat jij je vader zou laten winnen,' zegt Zoë.

'Dat dacht ik ook.'

'En?' vraagt Marc. 'Waarom heb je dat niet gedaan?'

De scherven glas glinsteren op de tegels. 'Ik denk dat ik daar nog niet aan toe ben,' antwoord ik. Dan voel ik mijn knieën knikken. Ik kan nog net 'Dankjewel, Zoë,' stamelen voordat de kamer begint te draaien en alles een andere kleur krijgt. De vloer lijkt groen, de bank, die net nog zwart was, lijkt nu roze. Zeer psychedelisch allemaal. Zoë pakt mijn arm en op het moment dat ze dat doet, trekt ook de rest van het bloed zich uit mijn lichaam terug.

'Wil je misschien even gaan liggen?' vraagt ze, maar haar stem klinkt van heel ver. 'Je ziet nogal groen.'

'Ach, ik ook al?' vraag ik en ik begin te lachen, wat niemand begrijpt. Ik niet en de anderen niet en Jeanne al helemaal niet. Die schijnt überhaupt weinig te begrijpen van wat er met haar leven gebeurt, sinds gisteren. 'Weet je, Zoë?' Ik lach nog steeds. De anderen kijken me bezorgd aan. 'Ik geloof dat dat wel een goed idee is,' zeg ik, en dan val ik flauw.

36

Ik word wakker van de lucht van gebakken vis. Het is zeven uur 's avonds. Ik lig op de bank en vraag me af of ik de partij tegen mijn vader soms gedroomd heb. Maar dan hoor ik de vogels in de tuin en voel een briesje uit de baai beneden en ik weet weer waar ik ben en wat er is gebeurd.

Zoë staat in de keuken. Ze is met twee pannen gelijktijdig bezig en heeft een schort voor. Ik kan me niet herinneren dat ik haar ooit heb zien koken, laat staan met een schort voor.

'Ik ben inkopen wezen doen,' legt ze uit, en ze wijst verontschuldigend op het fornuis. 'De vis zag er zo lekker uit.'

'Ik heb zes uur geslapen,' zeg ik.

Zoë draait zich om, veegt haar hand aan haar schort af en zegt lachend: 'Eens moet de eerste keer zijn. Wil jij mij even een citroen aangeven?'

Op het tafeltje bij het raam staat een houten schaal gevuld met fruit. Ik pak er een citroen uit en geef hem aan haar. Zoë heeft gedoucht. Haar natte haren vallen over haar schouders en ze ruiken naar perzik.

'Waar zijn de anderen?' vraag ik.

'Jeanne en Marc wilden graag de zee zien en Bernard loopt bij wijze van training de trap naar de baai op en af.'

Door de bomen heen kan ik Bernards hoofd zien, dat even kort boven aan de trap zichtbaar is en vlak daarop weer verdwijnt. Ik snijd mezelf een dik stuk kaas af en een homp stokbrood.

'Wat is er?' vraag ik met volle mond.

Zoë haalt een mes door de boter en strijkt het aan de rand van de pan af. 'Als je niet eet, heb je ook geen slaap nodig,' haalt ze mijn eigen zin van die middag aan.

Het klontje boter smelt direct en begint te bruisen. Zoë draait de pan en de boter verplaatst zich over de bodem.

'Dankjewel,' zeg ik.

Zoë weet meteen wat ik bedoel. 'Heel graag gedaan.' Voorzichtig legt ze een vis in de pan, die meteen begint te spetteren. 'Weet je, ik had geen idee dat je vader echt zo was. Marc heeft er wel eens wat over verteld...'

Ik snijd nog een stuk kaas af. Het is koeienkaas, geel als boter, sterk van smaak en lekker vet. 'Wat dan?' vraag ik.

'Zeg, we gaan zo eten! Je moet jezelf niet nu al volstouwen.' Ze legt nog een vis in de pan. 'Wat hij zei... was niet iets concreets. Dat je moeder te slap was om weg te gaan en jij te sterk om te blijven.'

Ik vraag me af of dat klopt. Ik heb me nooit sterk gevoeld. 'Kan ik helpen?' vraag ik.

'Maak de wijn vast open en schenk ons een glas in.'

Op het terras is de tafel al gedekt. De anderen zijn nog niet terug, maar Zoë's honger is te groot om te wachten. Ze duwt me in een stoel, met de rug naar het huis, en neemt onze borden mee naar de keuken. Als ze terugkeert, is het schort af, maar heeft ze een keukendoek om haar arm geslagen. Ze heeft gebakken mul gemaakt, met knoflook, citroen en salie, aardappeltjes uit de oven en een groene salade. En bovendien een witte wijn die perfect gekoeld is.

'Uit de kast van je oom,' vertelt Zoë. 'Ik hoop dat dat goed is.'

'Tja, aangezien je nu mijn advocate bent...' antwoord ik.

Ze schenkt ons nog een keer in. 'Dat was weer een grapje, toch?'

'Ja.'

'Hm.'

We zitten naast elkaar en kijken uit over de baai. De zon begint al te zakken. We kunnen hem niet zien, maar het licht begint al te verdwijnen tussen de bomen en de lucht wordt al rood. Boven ons is het nog glashelder en strakblauw.

'Gek,' zeg ik. 'Dat het huis op die luchtfoto niet te zien was.'

'Misschien is het een toverslot – net als in een sprookje.'

'Bedoel je dat het alleen gevonden kan worden door diegene voor wie het bestemd is?'

'Wie weet.'

Ik heb net een stukje vis op mijn vork, als ik het silhouet van een man door de poort zie komen. Mijn vader, denk ik, en ik laat de vork op mijn bord vallen. Maar het is Bernard. Hij lacht als herboren, terwijl hij door de poort loopt. Een krijger die zichzelf heeft overwonnen. Ik stel me voor hoe de traptreden die naar de baai leiden door zijn geren helemaal zijn versleten in het midden.

'Dat ruikt lekker zeg,' roept hij naar Zoë. 'Ik ga snel even douchen.'

Ik probeer het nog een keer met mijn hapje vis.

'Zeg, vertel eens, jouw vader,' begint Zoë, 'wat doet die eigenlijk? Ik bedoel, hoe komt hij aan zo veel geld?'

'De internationale koffiemarkt.'

Ze neemt een slok wijn en draait het glas tussen haar vingers. 'En hoe is hij verder? Als mens?'

Zoë's eigen vader is jong gestorven. Haar herinnering aan hem is niet meer dan een vaag gevoel van geborgenheid. Alles wat ze over haar vader weet is wat zij en haar moeder al twintig jaar over hem dromen. Ze kan zich niet voorstellen dat een vader iets anders doet met zijn kind dan het onvoorwaardelijk liefhebben.

'Nou, zoals jij hem hebt meegemaakt,' antwoord ik, 'gefocust op de overwinning.' Er is geen onderscheid tussen mijn vader als familieman of als zakenman. Als je twijfelt ben je zwak. Altijd het beste resultaat halen. Zolang de koffieboeren onderbetaald blijven, kan het met hem niet zo slecht gaan. 'In zijn vrije tijd vliegt hij graag naar Kenia om op safari te gaan. Hij zegt dat als je dieren neerschiet die groter zijn dan jezelf, je pas weet wat het betekent een echte man te zijn.'

Zoë drinkt haar glas leeg en zet het neer. 'Misschien moet je wel een zekere mate van onverbiddelijkheid hebben om echt succesvol te zijn.'

Ik heb het gevoel dat het Ludo is op wie ze doelt en dat ze naar een verontschuldiging zoekt waarmee ze zich van hem kan losmaken. Eindelijk eet ik mijn hapje vis op. Het smaakt heerlijk.

'Het hangt ervan af welke maatstaf je hanteert,' breng ik ertegenin.

Zoë vult mijn glas weer bij, hoewel ik pas twee slokken heb genomen. Ik voel nu al hoe de alcohol mijn lichaam verwarmt.

'Hoe bedoel je?' vraagt ze.

Ik probeer mijn gedachten te ordenen. Dat lukt niet al te best, zoals altijd. Na een hele tijd zeg ik: 'Als je Rolex zoveel waard is dat iemand anders er tijdenlang zijn gezin mee had kunnen voeden – ben je dan succesvol?'

Zoë denkt na over wat dat voor haar betekent; hoe zij daarin staat. Altijd het maximale bereiken is iets wat een grote aantrekkingskracht heeft op haar.

'Heb je dat wel eens tegen je vader gezegd?'

'Zeker.'

'En – wat zei hij daarop?'

'Dat ik me geen illusies hoefde te maken – dat ik nooit een Rolex zou kunnen betalen.'

Zoë wil nog iets zeggen, maar voordat ze heeft kunnen bedenken wat, komt Bernard te voorschijn uit de badkamer en verschijnen Jeanne en Marc bij de poort.

We eten, praten, drinken en lachen. Jeanne heeft haar voet omhoog gelegd en ziet eruit alsof ze haar pas herwonnen vrijheid nog niet kan bevatten. Zoë wordt langdurig geprezen om het eten, totdat ze bekent dat dit het enige recept is dat ze uit haar hoofd kent. Ze heeft het geleerd voor Ludo, omdat hij zo graag vis eet en ze indruk op hem wilde maken.

'Nou, voor deze vis zou ík mijn vrouw direct in de steek laten,' zegt Marc en hij schuift smullend nog een stukje in zijn mond.

We vragen ons af waar Lilith nu uithangt en of het goed met haar gaat.

'Zijn er lesbo's in Pui?' vraagt Marc.

'Lesboos?' vraagt Jeanne met opgetrokken wenkbrauwen. 'Wat is dat?'

'Lesbo's, lesbiennes!'

'Mon dieu! Non!'

'Als ze haar rugzak heeft gevonden is ze gegarandeerd al ergens anders heen,' denkt Bernard. En daar heeft hij gelijk in, al kunnen we dat op dit moment nog niet weten.

'Misschien graaft ze op dit moment wel haar eerste vondst uit het stenen tijdperk op. Hier in de buurt ligt nog wel het een en ander.' Marc heft zijn glas: 'Op Lilith. Onze Indiana Jones.'

We klinken. Na een poos zegt Zoë verontschuldigend: 'Er is nog een toetje, maar dat heb ik niet zelf gemaakt.' Het lijkt of eten het enige is waar ze vandaag over na kan denken.

Ze heeft potjes crème brûlée gekocht. Die smaken ook goed. Onze stemming houdt het midden tussen tevreden uitbuiken en uitgelaten lol. We hebben écht ons doel bereikt – en mijn vader de deur uitgezet.

Nu valt er een milde schemering over de tuin. Alle contouren verdwijnen langzaam. Zoë steekt kaarsen aan. Marc bouwt een laatste joint, Zoë vindt champagne in mijn nalatenschap. Als we weer proosten en bedenken waarop, is het Marc die van deze avond, en misschien wel van alle dagen die eraan vooraf zijn gegaan, de essentie weet samen te vatten: 'Een paar vrienden en een toffe plek – meer heb je eigenlijk niet nodig.'

Naast Bernards champagneglas staat een glas water waarin hij een zakje fluorescerend geel poeder leegschudt en omroert.

'Waar is dat voor?' vraagt Jeanne, die zich niet kan voorstellen dat iemand zoiets vrijwillig tot zich neemt.

'Om je stofwisseling te versnellen,' legt Bernard uit.

Dat woord is nieuw voor Jeanne. Na enig nadenken vraagt ze: 'Je drinkt dat en daarna trek je nieuwe kleren aan?'

Bernard legt uit wat stofwisseling betekent en hoe dat werkt.

Als hij daarmee klaar is, zegt Marc: 'Ik wist niet eens dat je die moest versnellen.'

'Wel als je je vetweefsel wilt omzetten in spiermassa.'

Marc laat zijn joint rondgaan. Jeanne kijkt er eens naar, trekt dan haar schouders op en zegt: *'Pourquoi pas?'*

Marc wendt zich tot Bernard en knijpt hem in zijn zij. 'Wat valt daar nou aan om te zetten?' grijnst hij. 'Aan jou zit net zoveel vet als er nog vis aan die graten zit.'

'Precies,' knikt Bernard en hij grist de joint uit Marcs hand. 'Omdat ik zo braaf dat spul drink.'

Hij neemt een trekje en kijkt ons lachend aan. In de afgelopen drie dagen heeft hij wel tien van zijn principes overboord gegooid. Maar ik heb makkelijk praten: ik zit er ook bij en drink champagne.

Marc en Jeanne hebben hun stoelen tegen elkaar aangeschoven en nu leunt haar hoofd op zijn schouder. Wat zich tussen hen beiden voltrekt, is moeilijk te begrijpen. Het is een soort herkennen. Dat heb je wel eens. Het wordt kouder. Marc heeft een van zijn capuchonshirts aangetrokken, maar draagt nog wel een korte broek en is op blote voeten. Met zijn haar zo door de war ziet hij eruit als een echte surfjongen. Hij heeft zijn voeten op Bernards stoel gelegd en Jeanne streelt afwezig zijn kuit.

Ik raak de tafel aan en stel vast dat de tafel heel vreemd aanvoelt. Dan wordt me duidelijk dat het niet aan het hout ligt, maar aan mij. Twee glazen witte wijn en een glas champagne en mijn vingers voelen niet meer aan als de mijne. 'Dat is grappig,' zeg ik, zonder uit te leggen wat ik bedoel.

Op een gegeven moment verdwijnen Zoë en Bernard in de keuken om de afwas te doen. Ik bied mijn hulp nog aan, maar Zoë legt haar hand op mijn arm en zegt: 'Blijf jij maar lekker zitten,' alsof ik ziek ben of zo.

'Begin je mij nu ook al te bemoederen?' vraag ik.

'Wil je dat soms?'

Ik denk even na. 'Denk het wel.'

Haar vingers gaan door mijn haar en haar lange nagels kietelen over mijn hoofdhuid. Een paar tellen blijft haar hand rusten in mijn nek. 'Maak je geen zorgen,' zegt ze zacht. 'Morgen ben ik weer helemaal de oude.'

Daar geloof ik niets van, denk ik.

Jeannes vingers hebben Marcs litteken ontdekt. Als ook Jeanne zelf in de gaten heeft wat haar vingers hebben gevonden, onderzoekt zij de verdikking. 'Hoe kom je daaraan?' vraagt ze.

'Uit Amerika meegenomen,' antwoordt Marc, en vertelt over zijn jaar als uitwisselingstudent in New Haven, Connecticut. Marc had direct een vervelend voorgevoel. Maar toch begon hij, tijdens dat jaar op de Hillhouse High School, met Kim te rommelen. Kim speelde cello, tenenkrommend slecht, en verder was ze een soort barbiepop en eigenlijk niet Marcs type, maar op de een of andere manier was ze wel lekker. Bovendien ging ze met Ewan en dat, moest hij toegeven, 'wond hem wel op'. Ewan was *tight end* in het footballteam; honderd kilo spiermassa. Marc kwam uit Europa en speelde gitaar tijdens een talentenshow, Ewan was de ster van het footballteam, stinkend rijk en had bovendien een beurs voor Harvard op zak.

'Met andere woorden,' vat Jeanne het samen, 'ze wilde met hem trouwen, maar met jou faire l'amour.'

'Als je het zo zegt...' Marc lacht. 'Ze heeft gewoon misbruik van me gemaakt.'

Het probleem was: in New Haven werd nooit lang misbruik gemaakt van iemand, zonder dat iemand anders er lucht van kreeg. Op een avond werden ze betrapt door Ewan en toen Marc met een half dichtgemaakte broek op de vlucht ging, in plaats van zich als een echte man te verweren, schoot Ewan hem een kogel door de kuit, 'Hier erin en daar eruit.'

Marc pakt Jeannes wijsvinger vast en leidt deze naar de andere kant van zijn onderbeen, waar de kogel zijn lichaam verliet. Onwillekeurig trekt Jeanne haar hand terug. Hij vertelt het nu niet, maar ik weet dat er bij dat schot een pees geraakt is, waardoor zijn voet nu, bij elke stap, een rare zwieper maakt.

'Sindsdien ben ik nooit meer met een vrouw naar bed geweest...'

Jeanne tilt haar hoofd van Marcs schouder en kijkt hem verwonderd aan.

Marc begint te lachen: '...als ze een vriend had,' maakt hij de zin af. 'Dat heb ik gezworen: nooit meer een vrouw met een vriend.'

Bernard gaat als eerste naar bed. Hij kan niet meer. Eerst een uurlang trap op, trap af, daarna de wijn en de champagne, tot slot nog een joint... En niet te vergeten dat spul om zijn stofwisseling te versnellen. Dat alles zorgt ervoor dat hij zit te hijgen alsof hij op expeditie naar de Himalaya is geweest. Hij rolt naast het bed in de slaapkamer een matje uit en gaat zijn tanden poetsen. Kort daarop verschijnt hij in een lange, gestreepte pyjamabroek; hij ziet eruit als een kostschooljongetje. Hij wuift iedereen goedenacht. 'Welterusten, allemaal.'

Wij pakken de kaarsen en trekken ons terug in de woonkamer. Jeanne en Marc nemen de bank, zodat Jeanne haar been omhoog kan houden. Die zullen snel hun ogen sluiten. Zoë trekt twee fauteuils bij elkaar en verdeelt de laatste champagne over onze glazen. Afwezig tast Jeannes hand naar Marcs litteken. Daarbij krijgt haar gezicht een uitdrukking die van alles kan betekenen: zielig, jammer, Connecticut...

'Betekent dat dat je een vriend hebt?' vraagt hij.

In Jeannes lach hoor je een leven vol gemiste kansen: Amerika, haar kunstopleiding, mannen die ze had kunnen hebben, maar niet kreeg; Jurgen die het geworden is, maar het nooit heeft willen zijn. 'Ik ben bang van wel.'

'Dan kunnen we dus niet... faire l'amour?'

'Ik ben bang van niet.'

'Heel jammer...' Zijn hand streelt Jeannes haar, terwijl hij peinzend in de verte kijkt. Hij lijkt volledig te zijn vergeten dat Zoë en ik ook in de kamer zitten. 'En dat vanwege een schietgrage footballspeler...' zegt hij zacht voor zich uit.

Zo behoedzaam als hij met Jeanne is, heb ik Marc nog niet eerder met een vrouw zien omgaan. Misschien betekende zijn uitspraak dat hij voor haar een beter mens wilde worden, wel meer dan hij zelf kon vermoeden – hij is tenslotte een hedonist.

'Maar zeg eens...' gaat hij verder. Intussen heeft Jeanne haar ogen dichtgedaan. 'Samen op de bank liggen... is dat wel oké?'

'Ik denk van wel.'

Voorzichtig tilt Marc Jeannes hoofd op, schuift zijn arm eronder en gaat dicht tegen haar aan liggen. In hun halfslaap pakken ze elkaars hand. Het geheim van dergelijke chemische combinaties zal wel nooit worden onthuld, denk ik.

Zoë, die vandaag meer moederlijke gevoelens heeft laten zien dan in alle 26 jaren hiervoor, spreidt een wollen deken over hen uit en blaast de kaarsen uit. In het donker pakt ze mijn hand.

'Naar bed,' fluistert ze.

'Ja, moeder,' antwoord ik en ik laat me door haar uit mijn stoel trekken.

'Zou het kunnen dat je een slok te veel op hebt?'

'Ja, moeder.'

37

Het is even na tweeën als ik wakker schrik. Bernard is nog steeds puffend met zijn stofwisseling bezig. Zoë's ademhaling daarentegen is amper te horen. Zij ligt op de andere helft van het bed. Het licht van de maan deelt het bed in tweeën. Mijn helft is donker. Zoë ligt op haar rug met haar gezicht opzij gedraaid. Het gaat verborgen achter haar haren. Als ze inademt verplaatst haar borstkas zich maar enkele centimeters. Het witte laken lijkt wel vloeibaar metaal. Het lijkt of Zoë erin rondzwemt. Ik kan de impuls om haar haren uit haar gezicht te strijken amper onderdrukken. Dan sta ik op.

Marc en Jeanne liggen op dezelfde manier op de bank. Zachtjes loop ik ze voorbij naar de gang, en vandaar de studeerkamer in. Voordat ik het licht aandoe, bereid ik mezelf er geestelijk op voor dat oom Hugo aan de schrijftafel zit. Maar hij is er niet. De schaakstukken staan nog precies zoals mijn vader ze heeft achtergelaten. Ik had hem al twee zetten eerder mat kunnen zetten, maar in plaats daarvan heb ik zijn koning zo in een hoekje gedrongen dat hij alleen nog maar kringetjes kan lopen, als een gekooid dier. Zoals ik, in een verwarmingskelder met dichte luiken. Ik zet de figuren in de juiste opstelling en loop naar het bureau.

De houten draaistoel piept vervaarlijk als ik erop ga zitten en zakt een beetje in. Oom Hugo's bureau stamt nog uit een tijd waarin men meubels maakte om generatie op generatie mee te gaan. De twee kastdeurtjes aan weerszijden zijn dik en stevig en de lade kun je er alleen maar met twee handen aan de zware, messing grepen uit trekken. In de la ruikt het naar tabak en voorin liggen allemaal dierbare, oude dingen: een Zwitsers zakmes, een presse-papier van marmer, een horloge met een versleten leren bandje en een inktpot.

Er zitten nog drie andere vakken in de la. In de eerste zitten foto's van verschillende vrouwen tegen verschillende achtergronden, bijna allemaal lachend. Zo te zien heeft hij ze gelukkig gemaakt. Vriendinnen, andere mensen, bergen, de zee… Scènes uit een ander leven. Er zit er ook een tussen van ons, met Kerstmis. Ik ben nog een baby in de armen van mijn moeder, die tussen vader en oom Hugo op de achtergrond staat. Daarvoor zitten, nogal koninklijk, oma en opa en dáárvoor, zittend en heel vastberaden, mijn broer Sebastiaan.

In het tweede vak bewaarde mijn oom linealen, potloden, passers, gummen, aanstekers, tabak, nietjes en paperclips. In het derde en grootste vak bevinden zich, bij elkaar gebonden en op datum gesorteerd, vele brieven. De meeste zijn van vrouwen: Silvia, Charlotte, Rachel, Geneviève… mijn oom, die ik nooit met een vrouw heb gezien, was kennelijk een hartenbreker. Al kun je daar in het huis geen enkel spoor van vinden.

Ik zie onder de laatste stapel een stukje blauw papier uitsteken. Met mijn hoofd scheef bekijk ik het hoekje en vraag me af of het echt is wat ik denk dat het is. Eerlijk gezegd weet ik het al voordat ik het durf te geloven. Ik pak de stapel op en daar ligt het, gevouwen en, dat weet ik zeker, ook door oom Hugo al jarenlang vergeten: het donkerblauwe vliegtuigje met de sterren.

Als ik hem vastpak, lijkt hij veel kleiner dan toen, en lichter ook. Ik draai een rondje in mijn stoel. Oom Hugo heeft mijn eerste vliegtuigje bewaard, ons vliegtuigje, wel 20 jaar.

'Wat is dat?'

Zoë staat in de deuropening, met alleen een T-shirt en, naar ik aanneem, een slipje aan. Maar die kun je niet zien, want het T-shirt komt tot halverwege haar dijen. Het is een mannenshirt. Van Ludo, denk ik onwillekeurig. Ik geloof dat ze dat jaloezie noemen. Haar zwarte, glanzende haren omlijsten haar gezicht en gaan op in de duisternis van de gang. Ik zou haar graag aanraken, om te weten hoe het voelt, wat er met mij gebeurt.

Het vliegtuigje zet ik als een vlinder op mijn vlakke hand en ik strek mijn arm naar haar uit. 'Dit? Een heel lang verhaal.'

Zoë kijkt naar haar voeten. Ik zie dat ze graag wil binnenkomen, maar ze merkt dat ik afscheid neem van mijn jeugd.

'Alles oké?' vraagt ze.

'Ja, dank je.'

Zoë's neus en kin werpen lange schaduwen op haar wang en hals.

'Als je het ooit aan me wilt vertellen – dat lange verhaal...' Ze glimlacht naar me. 'Dan weet je waar je me kunt vinden.'

Ja, denk ik, zwemmend in het maanlicht.

Dag 4

'The world has its ways
To quiet us down'

(Jack Johnson)

38

Vanaf het terras leiden drie houten treden naar de achtertuin. Ik zit op de bovenste tree. Dan hoor ik hoe achter me de deur opengaat en Zoë naar buiten komt. Naast me ligt het vliegtuigje. De zon staat op het punt om op te komen achter de rotswand. Het is vijf uur, halfzes misschien. Als Zoë vlak bij me is, leg ik het vliegtuigje tussen mijn voeten, zodat ze naast me kan zitten.

De hemel ziet eruit als een aquarel vol in elkaar vloeiende pastelkleuren – van zachtroze naar mintgroen, met hier en daar wat wit. 'Net een sprookjesboek,' zegt Zoë. Ze trekt haar knieën op en haar T-shirt daaroverheen. Ze heeft nog steeds niet meer aan dan daarnet. Je voelt dat het een warme dag gaat worden, al ligt de koele nachtlucht nog als een sluier over de tuin.

'Zal ik een deken voor je halen?' vraag ik.

Zoë schudt haar hoofd. 'Wil je het nog vertellen?'

Ik kijk naar het vliegtuigje aan mijn voeten. 'Het was mijn eerste,' begin ik, en vertel hoe oom Hugo me leerde hoe ik het moest vouwen en hoe het een kennelijk voorbestemde baan door de takken van de kerstboom aflegde en terechtkwam in opa's schoot, die er zelf niets van meekreeg. Zoë leunt met haar kin op haar knieën en zwijgt enige tijd. Intussen komt achter ons de zon op en wordt alles roze.

'Gek, toch? Dat je oom uitgerekend aan jóu zijn huis nalaat.'

Het is niet zo dat ik daar zelf nooit over heb nagedacht. Alleen heeft het geen zin. Zoveel weet ik inmiddels wel.

'Ik heb geen idee of oom Hugo misschien mijn biologische vader is, als je daarheen wilt,' antwoord ik.

In zijn bureau heb ik niets gevonden wat daarop zou kunnen wijzen. Maar wie weet: misschien was er bewijs en heeft mijn vader dat laten verdwijnen. Hij was hier tenslotte eerder dan wij. Maar uiteindelijk is het niet belangrijk. Echt: aan het einde van de rit is zoiets niet belangrijk. Ik denk wel eens dat mijn vader graag van mij gehouden had, maar het op de een of andere manier niet kon. Maar dat kan natuurlijk ook zijn omdat ik het graag zou willen. Wie is er in godsnaam in staat objectief naar zijn ouders te kijken?

'Ik had een oom voor wie ik kennelijk veel betekende,' ga ik verder. 'En dat betekent al heel wat.' Terwijl ik dat zeg, ga ik met mijn vingers over de nerven in het hout van de traptreden, dat in de loop der jaren behoorlijk is afgesleten. 'Serieus: ik prijs mezelf gelukkig.'

'Wat ga je ermee doen?' Zoë wijst met haar kin naar het vliegtuigje.

Ik pak het vast en test het gewicht. Het zou windstil moeten zijn om het op reis te sturen. Zo windstil wordt het hier vast nooit.

'Misschien laat ik het een keer van de klip vliegen,' zeg ik. 'Maar nu nog niet.'

'Dat begrijp ik echt niet,' zegt Zoë. 'Terwijl je normaal gesproken altijd zo graag dingen loslaat.'

Ik zeg niets terug.

Ze geef me een zetje. 'Was een grapje.'

Ik leg het vliegtuigje weer tussen mijn voeten. 'Misschien begin ik nu gewoon het vasthouden te leren.'

Zoë geeft me weer een duwtje. Ze komt dichter tegen me aan zitten. 'Hoe lang wil je nog blijven?'

'Geen idee.'

Ineens legt ze haar hoofd op mijn schouder. Zo zitten we naast elkaar. De zon begint onze ruggen te verwarmen en onze nekken te kietelen.

Dan gaat op een gegeven moment de deur open en vraagt Jeanne: 'Zal ik koffie zetten?'

Zoë en ik halen baguettes en croissants. Als we terugkomen, is de tafel op het terras gedekt, ruikt het naar koffie en zit Marc met zijn zonnebril op onder een blauwwit gestreepte parasol gitaar te spelen. Jeanne zit naast hem, met haar handen om een koffiemok. Ze kijkt alsof ze zojuist uit een mooie droom is ontwaakt, om er een nog mooiere voor in de plaats te krijgen. Het ritselt en kruimelt, en de koffielucht mengt zich met de geur van warme croissants. Zoë beweert dat ik de jam moet proberen. Abrikozenjam is het, zonsopgang uit een potje.

Marc is weer bezig met zijn lied dat hem ook op de heenweg niet met rust liet. Hij heeft een picking gevonden die lichtvoetig is zonder contact met de aarde te verliezen. De strofe spreekt voor zich en is van een eenvoudige schoonheid. Alleen het refrein wil zich nog niet openbaren, dat zit nog in de knop, en ook de overgang verloopt nog niet soepel. 'Dat is geen overgang,' zegt Marc, 'dat heet een bridge.' En ergens tussen de frets ligt het antwoord. Maar het wil zich nog niet laten zien.

'Wat is het voor een lied?' vraagt Jeanne.

'Ons lied,' zegt Marc, 'het lied waarover ik je heb verteld.' En iedereen, ook Marc, vraagt zich af of hij dat meent.

'Kijk eens aan.' Bernard en zijn herenpyjama verschijnen in de schuifdeur. 'Aan dit lied zit je al te sleutelen sinds we op pad zijn.'

'Toen wist ik alleen nog niet dat het ons lied zou worden,' stelt Marc vast. 'Toen Mozart zijn Requiem schreef, wist hij ook pas dat het zijn eigen dodenmis was toen de helft erop zat. Goedemorgen trouwens, ouwe jongen.'

Bernards slechte humeur is hem aan te zien. Waarom moet hij altijd en overal zout in de wonde strooien? Alsof hij het niet kan verdragen andere mensen gelukkig te zien. Hij krijgt het niet eens voor elkaar zich te verontschuldigen.

Het is Zoë die hem de hand reikt: 'Ga zitten – ik breng je een kop koffie.'

Morgen ben ik weer helemaal de oude, zei ze gisteren. Zoveel is duidelijk.

'Dank je,' zegt Bernard, 'maar ik kleed me snel even aan.' Met die woorden verdwijnt hij in de slaapkamer, om honderd push-ups te doen en hopelijk ook om na te denken, hoe hij de dag met een schone lei kan beginnen.

Maar daarvan komt het niet. Niet van koffie en niet van een schone lei.

Bernard keert direct weer terug op het terras om te vragen: 'Wie is dat nou weer?'

Er komt een man het pad oplopen. Nu lijkt hij niet groter dan een tuinkabouter, maar zijn vastberaden tred kun je van die afstand duidelijk zien.

Mijn maag trekt zich samen tot een bal, niet groter dan een walnoot. 'Mijn vader,' breng ik uit.

Marc laat een laatste akkoord uitklinken. 'En wie is die vrouw?'

Naast de man is een vrouw verschenen, die probeert hem bij te houden. Als ze uit de schaduw van het bos komen, valt het zonlicht op haar blonde lokken.

'Dat ziet eruit als...' begint Zoë.

'...Lilith,' maakt Bernard haar zin af.

'Die man,' zegt Jeanne zacht, 'is niet je vader. Het is Jurgen.'

We zitten te wachten tot beiden het huis hebben bereikt. Lang duurt dat niet. Jurgen had het pad kunnen nemen dat langs de muur loopt, of door de tuin kunnen lopen en dan de houten trap kunnen nemen. Maar in plaats daarvan neemt hij een shortcut door de rododendrons, alle andere opties negerend. Hij beweegt zo voortvarend dat hij bijna de tafel omverloopt voordat hij tot stilstand komt. Nu hij zijn energie niet meer kan omzetten in beweging, moet deze er op een andere manier uit. Jurgen straalt warmte af als een kacheltje.

Hij wil iets zeggen, maar weet niet hoe. Dat Jeanne zo vanzelfsprekend bij ons aan tafel zit, is meer dan hij verdragen kan. Na een tijdje zegt hij: 'Wat moet dit betekenen?'

Jeannes gezicht verschrompelt helemaal, als een oud portret op een schilderij.

Zoë speelt met de koffiemok in haar handen. 'Wat dacht je van een kop koffie?' stelt ze voor.

Intussen is ook Lilith op het terras aangekomen. Zij had zich het weerzien met ons wat harmonieuzer voorgesteld.

Aarzelend steekt ze haar hand op. 'Dag,' klinkt het door haar opgezette neus.

Jurgen kijkt naar Jeanne en heel even krijgt zijn gezicht de uitdrukking van een klein kind. 'Sorry,' klinkt het ineens. Het klinkt komisch, al bedoelt hij het niet zo. Hij heeft de snee in zijn lip laten hechten. Op zijn neus zit geronnen bloed.

Jeanne krimpt nog verder ineen. 'Wat bedoel je daarmee?' vraagt ze voorzichtig.

'Wat ik ermee bedoel?' Jurgen staat op het punt de controle over zichzelf te verliezen. 'Dat het me spijt,' legt hij uit. 'Het was een beetje dom. En nu meekomen. Alsjeblieft.'

'Ik denk dat jullie eerst even moeten gaan zitten,' zegt Zoë.

'En ik denk dat jij je er niet mee moet bemoeien,' vaart Jurgen tegen haar uit, zonder zijn blik van Jeanne af te wenden. 'Pak je spullen,' zegt hij onvriendelijk, om meteen daarna zijn toon wat te verzachten. 'Ik heb toch gezegd dat het me spijt. En nu moet je meekomen.'

'Zeg, luister eens,' mengt Zoë zich weer in het gesprek, 'dat gaat zomaar...'

‘Jij houdt je erbuiten, heb ik gezegd!’

Anders dan bij mijn vader gaat er van Jurgen ook een fysieke dreiging uit. Daar kan Zoë weinig tegenin brengen. Hier helpt het wetboek niet. Dat zou hetzelfde zijn als de kogels uit een automatisch geweer tegengaan met een stel homeopathische antiverkoudheidsballetjes.

‘Nee.’ We kunnen Jeannes stem amper horen. ‘Dat wil ik niet.’

‘Ik heb sorry gezegd en nu kom je mee!’

Uit mijn ooghoek zie ik Bernard die tussen de schuifdeuren staat alsof hij gevangen is in een elektromagnetisch veld. Zijn min-pool wil wegrennen om zich te verstoppen en zijn plus-pool wil het gevecht aangaan en de held worden.

Jeanne kijkt naar Jurgen op en schudt zacht haar hoofd.

‘Kom mee!’ roept Jurgen, nu ietwat vertwijfeld.

‘Hé, man.’ Marc kan de aanblik van Jeanne niet langer verdragen. ‘Zo doe je dat niet.’

‘Kop dicht. Dat geldt ook voor jou!’

Marc zet zijn gitaar neer en wil opstaan. ‘Luister eens: je kunt hier niet...’

Voordat Marc meer kan zeggen, grijpt Jurgen hem bij zijn kraag, trekt hem uit zijn stoel omhoog tot hij hem in de ogen kan kijken. ‘Kop dicht, zei ik!’

Daarna slingert hij Marc van zich af, zodat deze hard op zijn achterste op het terras valt. Een slipper vliegt met een mooie boog door de lucht, onder de parasol vandaan, maakt nog drie salto’s in het zonlicht als een getrainde dolfijn en boort zich daarna in de boter.

Alleen Jeanne zit nog op haar stoel. Lilith staat naast Marc. Zoë en ik zijn ook opgestaan en Bernard heeft zich eindelijk uit zijn magneetveld bevrijd en staat op het terras.

‘Nu is het genoeg!’ roept Zoë.

Marc, die met beide handen zijn onderrug steunt, zegt; ‘Jij bent gewoon gestoord, man, zoiets doe je toch niet!’

'Jij zou je smoel houden!'

'Nee,' begint nu ook Jeanne. 'Hou op, Jurgen, alsjeblieft! Ik kom wel mee.'

'Geen sprake van!' roept Zoë.

Marc staat nog bij Jurgen. 'Zeg eens,' vraagt hij, 'hoe bevalt dat eigenlijk, leven zonder brein?'

Wat er dan gebeurt, gaat vliegensvlug. Voordat Marc zich met hulp van Lilith uit de voeten kan maken, grijpt Jurgen zijn gitaar en is met twee passen bij hem.

'Nee!' schreeuwt Marc.

'Nee!' roepen Zoë en Jeanne.

'Nee!' gilt Bernard.

Lilith wil Jurgen nog tegenhouden, maar hij drukt haar met één hand de bosjes in, voordat hij Marc met zijn eigen gitaar op zijn hoofd slaat, waarna deze met een luid gekraak in tweeën breekt.

'Fuck!' roept Marc, die nog probeert zijn hoofd weg te draaien. Dan ligt hij op de grond met een hand tegen zijn linkeroor.

Jurgen staat wijdbeens boven hem. Aan zijn hand bungelt de gebroken gitaar, slechts bijeengehouden door zes snaren. 'Bek dicht!'

'Fuck, man!' roept Marc, wiens hand vol bloed zit. 'Fuck, fuck, fuck!'

'Dat had je niet moeten doen,' zegt Bernard, die ineens op Jurgen afkomt.

'Jij houdt je erbuiten!' roept Jurgen, voor de zoveelste keer.

'Dat had je niet moeten doen,' herhaalt Bernard, en voor het eerst ben ik bang dat het uit de hand gaat lopen.

Jurgen haalt uit, maar merkt dat de gitaar alleen uit losse onderdelen bestaat, laat hem vallen en wil uithalen naar Bernard, tot hij ontdekt dat deze hem als een stier vol in de borst geramd heeft en hem ruggelings over het terras duwt, steeds sneller en sneller, tot Jurgen met wiekende armen van het trapje naar beneden valt. Daar werpt Bernard zich boven op hem en trakteert hem op vuistslag na vuistslag.

'Dat had je niet moeten doen!' roept hij terwijl we vlees op vlees horen knallen, en bot op bot. 'Dat had je niet moeten doen!'

Jeanne is weer gaan zitten, met haar handen tegen haar oren en roept: 'Hou op, hou op!'

Dan pas zet ik me in beweging. Ik omklem Bernards biceps en trek hem los van Jurgen. Hij herkent me eerst niet, maar laat het daarna gebeuren. Zijn hand is helemaal bebloed. Eerst denk ik dat het Jurgens bloed is, maar dan zie ik zijn knokkels, waar onder het bloed de botten en pezen zichtbaar zijn. Bernards gezicht is betraand, hij huilt als een kind. Maar pijn schijnt hij niet te voelen.

'Dat had je niet moeten doen,' roept hij een laatste keer en hij wil weer naar voren, maar de puf is eruit en hij laat zich door mij naar de trap leiden, waar hij gaat zitten en zijn tranen de vrije loop laat en al het andere wat mee naar buiten spoelt. Zoë gaat bij hem zitten, houdt hem vast, legt zijn hoofd in haar schoot en praat zachtjes op hem in. Bernard klampt zich aan haar vast en snikt met schokkende schouders. Terwijl ik hen beiden zo zie zitten, overvalt me een vreemde gedachte: zo gelukkig zal hij zich niet eerder hebben gevoeld.

Jurgen heeft zich omhooggewerkt, als een viervoeter. Er druipt bloed van zijn kin. Als hij zijn reusachtige lijf opricht, kost het hem moeite zijn evenwicht te vinden. Hij is zo groot. Die had ik nooit kunnen verplaatsen, gaat het door mijn hoofd. Zijn ogen zijn halfdicht, zijn neus staat scheef en zijn lip is nu op twee plaatsen gescheurd. Hij mist boven minstens twee tanden. Meer kan ik er op het eerste gezicht niet aan ontdekken. Er ligt een tand in het gras. Ik raap hem op en geef hem aan Jurgen, die hem na drie pogingen uit mijn vingers kan pakken en in zijn zak steekt.

In plaats van iets te zeggen, houdt hij afwerend zijn hand omhoog: laat maar, het gaat wel. Daarna gaat hij zwalkend over het gras – tot hij bij de poort is waardoor hij naar binnenkwam. Ik begeleid hem verder, wacht tot hij buiten is, waar hij zich nog eenmaal omdraait en zijn hand opsteekt, als een soort groet. Dan strompelt hij verder naar de parkeerplaats, met een bloedspoor achter zich aan. Ik doe de poort dicht.

39

Zoë en Bernard zijn naar het ziekenhuis. Marc wilde niet mee. Hij heeft zijn nek verrekt, een scheur in zijn oorlel en een irritante fluittoon in zijn oor, maar een dokter wil hij pas op zijn doodsbed begroeten en zover is het nog niet.

'Hallo, Lilith,' mompelt hij, 'leuk dat je er bent.'

Lilith durft niet eens te gaan zitten. Ze staat nog steeds op de plek waar ze hem overeind geholpen heeft. Ze voelt zich zo vervelend dat ze bijna niets kan zeggen.

'Hij zei dat hij alleen maar zijn excuses wilde maken – verder niets.'

Marc probeert een slok koffie, maar slikken doet hem pijn. 'Jij vindt dat we blij mogen zijn dat hij niet is komen voorrijden in een tankwagen?'

'Het spijt me. Ik wilde naar jullie toe. En hij zei dat hij me zou brengen als ik zou zeggen waar jullie waren.'

'Dat is dan prima gelukt.'

'Het spijt me, echt.'

Jeanne kijkt nog ongelukkiger dan zij. 'Het is allemaal mijn schuld,' zegt ze. 'Ik had nooit mee moeten gaan.'

'Onzin,' zegt Marc.

'Totale onzin,' bevestigt Lilith. 'Meegaan is het beste wat je had kunnen doen.'

Jeanne ziet er niet uit alsof ze overtuigd is.

Daarna zegt niemand een poosje wat. Na een tijd komt Lilith bij ons aan tafel zitten. Marc wil een hap nemen van zijn stokbrood, maar elke beweging met zijn kaak doet pijn aan zijn hoofd. Dus neemt hij maar genoegen met wat knabbelen aan een croissantje.

Op een gegeven moment zegt hij tegen Jeanne: 'Waarom slapen we eigenlijk niet met elkaar, als we toch al gelazer hebben? Dat heeft toch geen zin.' Jeanne weet niet wat ze daarop moet zeggen, maar dan zegt hij: 'Was maar een grapje.' Hij staat op en pakt zijn gitaar op. 'Die arme Emma. We hadden het zo fijn samen.'

'Ik koop een nieuwe Emma voor je,' biedt Jeanne aan.

'Is niet nodig.' Marc bestudeert de resten. 'We zijn verzekerd.'

Jeanne en Marc lopen naar binnen en gaan weer op de bank liggen. Zo houdt Jeanne haar been stil en Marc zijn hoofd. Niet meer bewegen dan strikt noodzakelijk is. Ze praten met elkaar op fluistertoon, alsof ze pas verliefd zijn. Na een paar minuten hoor je een gedempt lachen: het is weer goed.

Lilith heeft nog maar net een hap achter de kiezen, of haar positieve grondhouding is weer terug. Ze drinkt en eet en eet en drinkt – alsof je een auto voltankt.

'Wat is er met je neus?' vraag ik.

'Gestoten,' antwoordt Lilith met een nasaal geluid, 'aan Jurgens vuist.'

'Heeft Jurgen je geslagen?'

Ze haalt haar schouders op. 'Ik vertelde hem dat ik lesbisch ben – dat was hem kennelijk te veel.' Ze kijkt om zich heen, alsof ze pas net op het terras is beland. 'Goh, Felix, wat een toffe hut!'

Ze vertelt wat er gebeurd is. Dat ze in de circustent heeft geslapen en de volgende ochtend haar rugzak vond en daarmee naar Riez gelopen is, via een oud wandelpad – als ze maar weg kon uit dat rotdorp! Het pad voerde over een heuveltop en Lilith kon kilometers ver kijken. Geen mens, geen huis, geen auto en geen mobieltje. Alleen zijzelf en de hemel boven haar hoofd. Ze had het gevoel alsof ze tegenover de Schepper stond. Het enige wat ze onderweg tegenkwam waren twee slangen die op een steen lagen te zonnen en snel onder een bosje verdwenen, toen ze Lilith aan hoorden komen.

Twee uur lang voelde ze zich heerlijk vrij. Ze kon zich zelfs verzoenen met Laura, wenste haar alle goeds. Wenste dat ze de goede beslissing had genomen en een gezin met kinderen zou krijgen. En niet alleen op zeker moment met spijt boven de afwas zou staan en vol weemoed achterom zou kijken. Zelfs de rugzak woog onderweg niet zwaarder dan een hand op haar schouder. Zo kwam ze in Riez aan, bezweet en gelouterd tegelijk.

Het pad eindigde bij een kapelletje iets boven de stad, waar drie in het wit geklede nonnen knielden en met engelachtige stemmen een kerklied zongen. Daarna bliezen ze de kaarsen uit en verdwenen door een zij-ingang naar het aangrenzende klooster. Lilith klom op een bank en keek over de muur. Aan een waslijn hingen drie lakens te drogen. De drie nonnen waren kennelijk de enige overgeblevenen van hun klooster. De tuin ademde een rust en vrede uit die Lilith helemaal van slag bracht. 'Om eerlijk te zijn, Felix: als die christenen niet die idiote zondeval hadden bedacht waardoor wij al tweeduizend jaar in het stof kruipen... dan had ik op dat moment mijn rugzak afgedaan en was ik over de muur geklommen.'

In plaats daarvan besloot Lilith in een pension in Riez te overnachten. Toen ze 's ochtends probeerde bij een geldautomaat te pinnen voor een busreis naar Manosque, stond daar ineens Jurgen naast haar. Hij zag eruit als één hoopje ellende en berouw en vermoeidheid en vroeg: 'Waar zijn ze naartoe?'

Bernards arm steekt tot aan zijn elleboog in een gifgroen gevaarte. Alleen zijn duim en vingers steken eruit.

'Zo zien we hem tenminste in het donker,' legt Zoë uit.

'Joh, Bernard,' begroet Lilith hem. 'Je ziet er meteen vijftien jaar jonger uit.'

'Zoiets heb ik altijd al gewild,' antwoordt Bernard. En aan de manier waarop hij zijn arm in de lucht steekt, een beetje zoals Rocky, kan ik zien dat hij het waarschijnlijk nog meent ook. Het groene gipsverband is voor hem een soort trofee.

'Hoe gaat het?' roept Marc vanaf de bank.

Bernard bestudeert zijn arm alsof hij niet van hem is. 'Komt wel goed. En met jou?'

'Komt wel goed.'

'Heb je al wat gegeten?' vraagt Lilith.

Ze haalt een stoel tevoorschijn voor Bernard en snijdt voor hem een stuk stokbrood af, dat ze dik belegt met serranoham. Alsof hij alleen nog maar rauw vlees mag eten. Zoë brengt hem een kop koffie, schenkt hem een sapje in en aait hem over zijn schouder.

De zon heeft zijn hoogste punt bereikt. Daar waar ze het tafelblad bereikt, begint het hout al krom te trekken. Als je met blote voeten over het terras loopt, is het net of je over gloeiende kolen gaat. De bijen vullen de rododendrons met aandachtig gezoem.

We hebben ons over de beschaduwde delen van de veranda verdeeld als een stel leeuwen na een goede jacht. Ik wist in een zijkamer nog twee ligstoelen te vinden en Marc en Jeanne delen er samen een. Als ze maar een meter uit elkaar dreigen te raken, brengt een onzichtbare kracht hen weer samen. Op de andere ligstoel ligt Bernard, met zijn arm op een kussen. De verdoving begint uit te werken. Als hij zijn arm naar beneden laat hangen, gaat zijn hand opzwellen en dat is niet goed voor de hechtingen. Zoë en ik zitten op twee stoelen in de schaduw. Lilith heeft haar kampeermatje uitgerold.

Later zal ik denken dat de werkelijkheid altijd elke hindernis overwint, al is deze zo hoog als de muur om de tuin. En zo vindt deze ook zijn weg naar onze tuin. Als Bernards telefoon gaat in de slaapkamer – zijn ringtone is een Bond song – lijkt het of we daarmee de boze buitenwereld weer binnenlaten.

'Hij gaat al de hele ochtend,' zegt Jeanne.

Bernard wil eerst niet opnemen, maar zijn plichtsgevoel is sterker. Als iemand hem roept, kan hij niet anders dan die roep te volgen. Hij staat op en gaat het huis binnen.

'Met Niemeijer,' horen we hem zeggen. 'Ja, dat klopt.' Dan wordt het stil. Het enige wat we horen is dat de deur van de slaapkamer dichtgaat.

Marc kijkt naar mij. Ik kijk terug met een uitdrukking die zegt dat het onheil nadert.

'Moet er niet iemand naar hem toe?' vraagt Jeanne.

Zoë wil al opstaan, maar dan gaat de slaapkamerdeur open en komt Bernard heel langzaam naar buiten. Hij laat ons zijn telefoon zien, alsof hij niet weet wat het ding daar doet. Zijn gezicht betrekt.

'Mijn moeder,' zegt hij, en daarmee weten we genoeg.

40

In het begin denken we dat het wel goed is. Dat hij rent. Als hij dat nodig heeft. Misschien helpt het wel. Zijn moeder moest natuurlijk ooit een keer sterven. En dan is het misschien wel goed dat hij nu bij ons is, dat we hier samen zijn.

In zijn vaste ritme loopt hij steeds om het huis, rondjes van acht minuten elk. Van links naar rechts, van rechts naar links. We horen hem steeds aankomen door zijn gehijg. Elke ademhaling is een krachtsinspanning, we horen zijn passen achter de muur, dan komt hij langs de poort en is hij met zijn gifgroene arm een halve seconde in beeld.

Het bericht over de dood van zijn moeder heeft ons weer in de werkelijkheid teruggebracht. We merken het allemaal, nu we op het terras overleggen wat we moeten doen. Als een internist die voor een lichtbak staat, wijst op een donkere plek op de röntgenfoto en zegt: 'Ziet u dat?'

Het gehijg is kreunen geworden. De afstanden die Bernard achter de muur aflegt zijn groter geworden. De zon is onder de veranda gedoken en kruipt centimeter voor centimeter over de tegels dichterbij. Nu gaat ze onder. De eerste schaduwen van de bomen komen over de muur de tuin binnen. Eigenlijk loopt Bernard niet meer hard. Hij snelwandelt, wankelt bijna. Zijn ademhaling klinkt astmatisch.

'Wat wil hij toch?' vraagt Jeanne bezorgd.

'Het lijkt alsof hij zichzelf wil verteren,' zegt Lilith.

'Als hij zo doorgaat,' zegt Zoë, 'kunnen we hem afleveren bij het gekkenhuis.'

Dat is waar, vind ik. Het liefste zou hij zichzelf verteren.

Als Bernard weer langs de poort voorbij strompelt, voorovergebogen, met hangende schouders en de kin op de borst, doet Marc zijn slippers aan, wrijft in zijn nek, loopt het trapje af, door de tuin en gaat met zijn rug tegen de poort leunen. Als het gehijg er weer aankomt, loopt Marc het tegemoet. We horen zijn stem achter de muur.

'Blijf staan, man!' roept hij.

'Laat me met rust!' roept Bernard terug, maar zijn stem roept om verlossing.

Hij jogt langs de poort, met Marc op zijn slippers erachteraan.

'Blijf nou staan!' Hij haalt Bernard in en gaat hem in de weg lopen. 'Hou nou op!'

'Laat me met rust!'

Marc geeft hem een schouderduw. 'Hou nou op met die onzin!'

Ze komen terug, Bernard, de gespierde atleet, die is geveld door de tengere Marc.

Voor de poort zien we Bernard zich nog een keer in zijn volle lengte oprichten. Hij kruist zijn armen voor zijn gezicht, alsof hij zich verdedigt tegen een aanvaller. Het volgende moment komt zijn groene arm met volle kracht tegen de ijzeren poort, die luidt als een klok, terwijl Bernard het uitschreeuwt en in elkaar stort, met zijn andere hand om zijn gips.

Het is Zoë die het commando overneemt. 'Naar bed en schoenen uit.'

Ze haalt een glas water, lost daar twee tabletten in op, haalt nog wat doosjes uit haar beautycase en drukt drie verschillende pillen uit hun strips.

'Wat is dat allemaal?' vraagt Marc.

Zoë wijst naar de pillen op haar handpalm. 'Pijn, slaap, herstel.' De pil voor herstel ziet eruit als een capsule voor barbies. 'Ik heb pillen voor en tegen van alles. Bernard...' Ik help hem om rechtop te zitten. Zoë houdt hem de pillen en het glas voor. 'Die moet je doorslikken, dat moet je opdrinken.'

Bernard slikt de pillen en drinkt het water. Daarna draait hij zich op zijn zij, met zijn gezicht naar de muur. Zoë trekt een stoel uit een hoek van de kamer naar het bed en gaat naast hem zitten.

'Ik denk dat het wel goed is, zo,' fluistert ze naar ons.

Marc, Lilith en ik verlaten de kamer.

41

Lilith ziet eruit alsof ze net een schoonheidsoperatie achter de rug heeft. Haar gezicht staat helder en levendig en wordt zoals altijd omringd door haar wilde engelenkrullen, maar in het midden prijkt, alsof hij er is opgeplakt, een dikke neus met ernaast blauwe kringen onder haar ogen. Ze staat gebogen over de pan en wuift de damp naar zich toe.

'Felix, mag ik je neus even lenen?' vraagt ze. 'Ik ruik niks.'

We koken het avondeten. In de keuken ruikt het naar tomaten, tonijn, knoflook, uien, rozemarijn en tijm. Zoë zit nog bij Bernard in de slaapkamer, Marc en Jeanne liggen weer op de bank elkaars hand vast te houden, alsof het de laatste keer is.

De kruiden voor in de saus heeft Lilith in de tuin gevonden. Met een hele bos kwam ze de keuken weer in. 'Die rozemarijn achterin de tuin is zo groot als een kerstboom!' verkondigde ze.

Ik denk aan de kerstbomen die mijn vader elk jaar liet bezorgen. Niemand in de straat mocht een grotere hebben.

Als ik de deur naar de slaapkamer open, om Zoë te halen voor het eten, zit ze naast de slapende Bernard als een moeder naast haar zieke kind: met een hand op zijn arm en met een boek in de andere hand. Ik vertel haar dat we gaan eten en vraag hoe het met Bernard gaat. Ze slaat haar boek dicht, staat op, buigt zich over hem heen en trekt zijn deken recht. 'Mijn pillen werken altijd,' fluistert ze en ze volgt mij de kamer uit.

We zitten te eten als er een koel, zout briesje optrekt vanaf zee. Jeanne trekt een vest aan dat ze heeft gevonden en gaat dicht tegen Marc aan zitten. Zoë legt de plaid van de bank om haar schouders.

‘Misschien,’ zegt ze na een lange stilte, ‘heeft Bernards moeder gewacht tot hij weg zou zijn.’

‘Je bedoelt dat ze hem wilde besparen dat hij erbij zou zijn?’ vraagt Lilith.

‘Dat zou toch kunnen…’

De zilte lucht wordt intenser. Je proeft dus werkelijk de smaak van de zee op je tong. Marc, die een sjaal van mijn oom om zijn verrekte nek heeft gewikkeld, draait zijn laatste joint van de dag.

‘Ik ben nog helemaal niet bij de zee geweest,’ bedenk ik me ineens.

‘Ik ook niet,’ zeggen Zoë en Lilith als uit één mond.

Marc likt zijn vloeitje nat. ‘Ben ook zo klaar.’

Op het water explodeert de zon in ontelbare glinsteringen. Ik knijp mijn ogen tot spleetjes. Zoë heeft natuurlijk haar zonnebril meegenomen. De zee. Die doet het altijd. Je kijkt ernaar en je voelt de grootsheid en je eigen sterfelijkheid en je weet tegelijkertijd alles en niets. Met de wind worden ook de golven aangevoerd. Sommige met schuimkoppen erop, die sproeien als fonteinen zodra ze de rotsen bereiken. Andere trekken hun bek wijdopen voordat ze op het strand luidruchtig ineenstorten.

We gaan zitten in de luwte van een rotsblok, waar het zand nog warm is. Zoë begraaft haar voeten en wiebelt net zo lang met haar tenen tot haar roodgelakte nagels tevoorschijn komen. Lilith verzamelt stukjes wrakhout en maakt een omheining om haarzelf. Het wordt vloed. Na verloop van tijd valt het eerste stokje om en we gaan een paar meter verderop zitten. Er is nog een tiental andere mensen in de baai. Sommigen wagen zich zelfs in het water. Er zijn twee mannen met een duikbril op, een wetsuit aan en zwemvliezen aan hun voeten, die als dieren in de golven ronddobberen, alsof ze er niet voor gemaakt zijn zich op het vasteland voort te bewegen.

Bernard komt stijfjes de trap af gezet. Zijn groene gips schemert door de bomen. Zonder iets te zeggen gaat hij naast Zoë in het zand zitten. De glinsteringen in het water hebben inmiddels een goudkleurige tint gekregen en lijken nu rechtstreeks uit de zon voort te komen die al aardig aan het zakken is. Containerschepen, afkomstig uit Marseille, varen op gezette tijden voorbij om koers te zetten naar Italië of Afrika.

'Hoe gaat het met je hand?' vraagt Marc.

'Komt wel goed.'

Bernard begint kiezels te verzamelen om ze over het water te laten ketsen. Met zijn linkerhand. Drie-, vijf-, zevenmaal ketsen ze over het wateroppervlak. Maar uiteindelijk gaan ze allemaal kopje onder. Net als de zon. Als deze in de zee is gezakt en de schemering overgaat in duisternis, verlaten de laatste bezoekers de baai. Al snel is er niemand meer behalve wij. De horizon, die de zee van de lucht scheidt, is niet meer te zien.

Marc is zo slim geweest een fles rode wijn en een kurkentrekker mee te nemen. 'Op je oom,' zegt hij, neemt een slok en geeft de fles door.

'Op jou,' zegt Zoë tegen mij.

Lilith kijkt eerst naar mij, daarna naar Zoë en tot slot naar mij: 'Dat geloof ik niet,' zegt ze. 'Jij bent verliefd op Zoë!'

Alle ogen zijn ineens op mij gericht.

'Hoe kom je daar nou bij?' vraag ik.

'Ach, jij bent zeker verliefd op Zoë – dat zie je zelfs als je blind bent!' Ze snuift ongelovig. 'Dat ik dat niet meteen in de gaten had...' De anderen vragen zich nu ook af hoe het kan dat zij dat al die jaren niet gezien hebben. 'Maar troost je,' gaat Lilith verder, 'je bent niet de enige. Met jou erbij zijn het er al drie.'

Marc kijkt haar verwonderd aan. Hij kan ook tot drie tellen. 'Hoe kom je nou aan dat getal?'

Lilith lacht hem toe. 'Wie heeft het nou over jou?' Ze pakt de fles over van Zoë. 'Op mij!'

Jeanne is de volgende. 'Op het leven.'

Bernard scheurt het etiket in reepjes van de fles, draait balletjes van de strookjes en knipt ze met zijn vingers naar de zee. 'Op de dood.' Hij geeft de fles aan mij door.

Op ons, wil ik zeggen, op het hier en nu, op dit moment. Maar ik zeg: 'Op de zee.'

Later zal dit moment me meer bijblijven dan alle andere gebeurtenissen van de afgelopen dagen: elk van ons weet dat het voorbij is, maar geen van ons wil weg.

Tussen de rotsen in het zand kun je van alles vinden: verbleekte sigarettenpakjes, stukken pallet, een dikke boomstam. Samen met de stokkenverzameling van Lilith en wat pizzadozen uit een vuilnisbak, maak ik er een brandstapel van. Ik weet wel dat dat niets kan veranderen. Niemand kan de tijd tegenhouden. Twee extra uurtjes, meer zit er niet in.

'Geef me je aansteker eens,' zeg ik tegen Marc.

Hij doet het. Eerst wat aarzelend. Maar na enige minuten brandt het pallethout als een fakkel. Hoge vlammen komen eruit voort, onze schaduwen dansen over de rode rotsblokken achter ons. Die van Jeanne danst als een spook achter haar heen en weer.

'Wat wil je nu gaan doen?' vraagt Marc en pas als iedereen naar hem kijkt, is het duidelijk dat hij de vraag aan Lilith gesteld heeft.

Die bestudeert haar tenen, die zich ingraven in het zand. 'Als ik dat eens zou weten. Eigenlijk wilde ik altijd al naar Berlijn, net als jullie. Maar daar kreeg ik geen plek.' In het schijnsel van het vuur, lichten haar lokken rood op. 'Misschien moet ik dat gewoon doen, naar Berlijn gaan – studieplaats of niet.'

Bernard is weer begonnen met het verzamelen van stenen om deze te laten ketsen. De lichten van de grote schepen zijn zichtbaar op zee, tot ze verdwijnen achter de rotsen. En dan is het ineens zo duidelijk voor iedereen, dat we er geen woord meer aan hoeven te wijden: onze reis is ten einde gekomen. Zo zitten we daar te wachten tot iemand van ons uitspreekt wat we allemaal al weten.

Het is Zoë die het woord neemt. 'Volgend jaar zomer.'

'Tuurlijk,' snuift Bernard.

'Ik meen het,' zegt Zoë vastbesloten. 'We komen hier weer allemaal samen, volgend jaar zomer.'

Na een tijdje zegt Lilith: 'Ik ben er.'

Marc: 'Zeker weten.'

Bernard: 'Dat gaat niet lukken, daar durf ik om te wedden.'

'Dat hangt helemaal van jezelf af,' vindt Zoë. 'Dus: ben je erbij, of niet?'

'Nou, goed dan.'

'Ben je erbij, of niet?'

'Ja, ik ben erbij.'

Nu richten alle blikken zich op Jeanne, die verontschuldigend haar hoofd laat zakken. 'Ik weet het niet. Een jaar... dat is heel lang, toch?'

Maar Zoë neemt haar missie heel serieus. 'Ben je erbij, of niet?'

Jeanne twijfelt, maar eigenlijk weet ze het antwoord al: 'Oké, goed... Oui. Ik kom.Volgend jaar zomer.'

Ik ben de laatste. 'Mij hoeven jullie het niet te vragen,' zeg ik. 'Ik ben er sowieso.'

De lucht is betrokken. Wolken trekken voorbij. Er is geen maan te zien, geen sterren. We kijken uit over de zee, maar we kunnen niet verder kijken dan tot waar de vlammen weerspiegelen in de golven. Daarna is er slechts lawaai en verte. Bernard is op zoek naar de perfecte steen; degene die voor eeuwig over het water zal springen en nooit zal zinken. Hij is doodsbang om terug te gaan naar Berlijn en de afgrond in te turen die de dood van zijn moeder voor hem is.

'Als je wilt,' roept hij vanaf de branding, 'kun je bij mij komen wonen. Ik heb een logeerkamer en die staat toch leeg...'

Hij vindt een steen in het water, wast het zand eraf en weegt hem in zijn hand. Het is net een kleine discus, een bijna perfect ronde steen. Goed voor dertien tot vijftien keer ketsen. Minstens. En misschien ketst hij wel voor eeuwig, wie weet. De zee heeft inmiddels de rand van het vuur bereikt. Nog tien minuten, misschien een kwartier, dan zullen de vlammen doven.

Lilith kijkt op van haar tenen. Door de schaduw lijkt haar neus nog dikker dan deze in werkelijkheid al is. 'Maar je weet toch dat ik alleen op vrouwen val, hè?' roept ze naar de branding. 'Ik ben een lesbienne, Bernard. En dat kan ik niet veranderen.'

Bernard bestudeert de steen van alle kanten. Een betere had hij niet kunnen vinden. Met deze steen moet het lukken. Maar in plaats van de steen op pad te sturen, laat hij hem in zijn broekzak glijden. 'Vind jij het een probleem dat ik hetero ben, of zo?'

'Hoe kom je daarbij?'

'Nou dan... Mijn aanbod staat.'

In het donker volgen onze voeten tastend de traptreden naar boven. De resten van het vuur worden sissend overspoeld door de golven. Er zijn nu scheuren zichtbaar in het wolkendek. Af en toe glinstert ons een zee vol sterren tegemoet. We lopen paarsgewijs: vooraan Jeanne en Marc, in het midden Zoë en ik, achter ons Lilith en Bernard.

'Kun je weer horen?' vraagt Jeanne.

'Rechts wel, links niet,' antwoordt Marc.

Al lopend pakt ze zijn hand, buigt zich over hem heen en fluistert hem iets in zijn oor. Marc hoort nog steeds weinig meer dan een geweldige fluittoon, maar Jeannes woorden hangen in de avondlucht als een zwerm muggen en als Zoë en ik erdoorheen lopen, horen we ze fluisteren: 'Vanavond heb ik geen vriend.'

We bereiken de laatste treden en banen ons een pad door het pijnbomenbos. Het ritselt en het kraakt. Zilverachtig licht flikkert door de boomtoppen. Als ik omhoog kijk, steekt de halve maan als een verlichte haaienvin boven de wolken uit. Zoë legt haar arm om mijn middel.

Dag 5

'You better hope you're not alone'

(Jack Johnson)

42

Ik bestudeer haar profiel terwijl ze slaapt, de smalle neus, de zachte kin, die volle lippen. Ditmaal kan ik de drang d'r haar uit haar gezicht te vegen niet weerstaan. We liggen op de bank. Mijn gezicht is zo dicht bij het hare, dat ik kan zien hoe mijn adem haar huid beroert.

De slaapkamer hebben we overgelaten aan Jeanne en Marc en aan de geluiden te oordelen, hebben ze daar de hele nacht gebruik van gemaakt. Pas tegen zessen zijn ze samen in slaap gevallen. Lilith, met haar gezwollen neus, en Bernard, met zijn dikke hand, hebben allebei een deken en een fles wijn mee naar buiten genomen en zijn op het terras op de ligstoelen gaan liggen. Onder de blote hemel hebben ze gezamenlijk hun wonden gelikt en zich bedronken. Zo zijn ze ingeslapen: met hun gezichten naar elkaar toegedraaid en met twee lege flessen tussen hen beiden in. Misschien is dit het begin van een mooie vriendschap.

'En,' vraagt Zoë, zonder haar ogen te openen, 'wat gaat er allemaal om, in dat mooie hoofdje van je?'

Ik stop met het strelen van haar haren.

'Zei ik dat je mocht ophouden?' vraagt ze. 'Nou?'

Nou... waar denk ik aan: 'Ik dacht altijd dat het lot mij alleen maar de kruimels, de restjes zou toewerpen.'

'En?'

'Dat klopt niet.'

'Bedoel je dat je niet meer in het lot gelooft?'

De lucht die door de balkondeur naar binnen waait, voelt warm aan op onze huid. Alweer zo'n stralende dag. Zo eentje waarin alles naar opengaan geurt. En weer voelt het aan als een verhaspeld spreekwoord: achter de wolken, volgt regen.

'Geen idee of het lot bestaat,' antwoord ik. 'Maar als het zo is, dan heb ik veel geluk gehad: ik had een oom die veel van me hield, ik heb Marc... en in mijn armen ligt de mooiste vis van de hele oceaan.'

Zoë houdt haar ogen dicht. Ze lacht wat weemoedig, maar ja, bij alles wat mooi is hoort ook een beetje weemoed. Ook voor haar is de reis ten einde. Alleen ik zal hier blijven. Behalve ik heeft iedereen iets wat op hen wacht: een begrafenis, een nieuw leven, een baan, het volgende optreden. Op mij wacht alleen een kat, die al vijf dagen door Achmed wordt gevoerd, en een autistische jongen van wie ik niet eens weet of hij weet wie ik ben. Ik wil Zoë zeggen dat het in orde is, dat mijn geluk misschien niet van lange duur is, maar dat alles zoals het hier en nu is, op zijn plaats is en precies zo is als het zou moeten zijn. En meer mag je van het leven niet verwachten.

'Dank je,' zegt Zoë en ze vleit zich dichter tegen mijn borstkas aan.

Ik help Bernard met zijn kleren secuur op te vouwen, en in de juiste vakken van zijn aluminiumkoffer te stoppen. Deze is als een fototas in vakken verdeeld. Daarna ga ik op de bank zitten en kijk toe hoe Zoë haar koffer pakt. De ochtendzon vult het huis met een diffuus licht – alsof het van binnenuit wordt aangelicht. Het ruikt naar hars en sterk geurende, zoete bloemen. Straks, als de eerste was droog is, zullen mijn T-shirts ernaar ruiken.

Zoë blijkt mij al een tijdje aan te kijken. Ze houdt een turkooisblauw jurkje voor, dat ze van een hangertje af laat glijden.

'Dat heb je nog helemaal niet gedragen,' zeg ik.

Ze kijkt ernaar, stopt het in de koffer en komt naast me zitten op de bank. In de tuin wemelt het van het leven: vogels die paren, bijen die nectar uit de bloemen zuigen, en bloemen die wedijveren om de lekkerste geur.

'Zou je willen dat ik blijf?' vraagt ze.

Ja, dat wil ik wel. Niemand kan de tijd stil laten staan. Maar wat maakt het uit? Twee of drie dagen, dat is al heel wat. We zijn geen paar, zijn niet voor elkaar geschapen; zullen dat nooit zijn. Voor iemand die carrière wil maken, heeft ze me zelfs wel eens uitgelegd, is er maar één regel: *move up or move out*. Dat is het verschil tussen ons. Zij wil 'up' en ik wil 'out'. Die kloof zullen we nooit overbruggen. Al weet je dat natuurlijk nooit helemaal zeker.

'Zou je dan graag wíllen blijven?' vraag ik.

Zoë buigt zich voorover, vouwt haar handen samen en klemt haar ellebogen tussen haar dijen. Haar vingers raken bijna de vloer. Ineens moet ik denken aan Benno – de autistische jongen uit mijn busje, die 's morgens niet uit huis te krijgen is, en 's middags alleen de bus uit wil als zijn oma belooft met hem naar de wasmachines te gaan kijken.

'Je bent net Benno,' zeg ik.

Dan loop ik naar buiten, naar de tuin.

De bus ziet er niet uit. Hij lijkt een vermoeide krijger, die van het slagveld terugkeert, met nog maar een wens: terug naar huis, naar zijn vrouw en kind. De voorruit en de achterruit zijn gebarsten, het schuifdak zit met gaffertape dicht, de achteruitkijkspiegel en de achterbumper zijn op het 'veld van eer' achtergebleven.

Bij de inzittenden is het niet veel anders. Bernard zit met de houding van een veldheer op de bijrijdersstoel, met een gebroken hart maar met de kin vooruit, zijn blik gericht op het verleden. Zoë heeft van een sjaal een mitella gemaakt, die goed kleurt bij zijn gips.

Lilith zit achter het stuur. Op de plek van haar neus bevindt zich een blauw met geel met rode aardappel. Ze lacht, al doet het pijn, maar ze lacht. Het leven is een toverbal en het beste moet nog komen. Jeanne en Marc delen de achterbank. Jeannes hiel doet nog steeds pijn, maar ze kan strompelen. Dat geldt ook voor Marcs nek: gaat wel over. Hij heeft nog steeds dat gepiep in zijn oor, maar dat wordt met het uur minder.

De uitlaat klappert niet meer. Lilith keert de bus en zo staat hij, op zijn vermoeide banden, voor mij op het asfalt; met zijn blik naar het noorden gekeerd. Dan stoot de bus een dikke rookwolk uit en begint hortend en stotend te rijden. De uitlaat valt eraf. Zo vertrekken ze uit mijn tuin.

Epiloog

De eerste halte op hun terugweg is Marseille. Marc wil de tijd nemen om Jeanne wat van de wereld te laten zien, voordat ze naar Berlijn rijden. Ze is tenslotte amper haar café uit geweest. Dat kan een paar dagen duren. Dus zetten ze Bernard en Lilith bij het vliegveld af. Die hebben meer haast.

Bernard moet formulieren invullen, een grafsteen uitzoeken, een toepasselijke bijbelspreuk vinden. Dat heeft hij tot nu toe steeds niet willen doen. Hij dacht, zolang er geen grafsteen is, geen opschrift en geen begraafplaats, zou zijn moeder niet sterven. Lilith moet de scherven van haar leven bij elkaar rapen en zien hoe ze daarmee Miss Indiana Jones kan worden. Voordat de glazen schuifdeuren zich sluiten omhelzen ze elkaar. We zien elkaar weer. Volgend jaar zomer.

Terwijl Bernard en Lilith tussen mensen uit de hele wereld in de vertrekhal zitten en wachten tot hun vlucht wordt omgeroepen, sukkelen Jeanne en Marc over de A51 richting Grenoble en laten zich inhalen door ettelijke vrachtwagens. Bij Manosque nemen ze de afrit, om in de schaduw van een plataan, op een geheim plaatsje in het centrum, een ijsje te eten.

Vandaaruit reizen ze verder over de kleinere wegen. En opeens, na een moeilijke klim via kronkelige weggetjes, ligt het weer voor hen: het plateau. De verte, het licht, de kleuren van de Provence.

Jeanne zit met haar rug in de rijrichting, dus Marc ziet hem als eerste: Jezus. Met zijn gekruisigde ledematen hangt hij in de avondzon te glimmen. Zijn stoffige doornenkroon werpt een diepe schaduw over zijn houten lijf. Marc laat de bus uitrollen en zet hem stil op de kruising. De verf is er op veel plaatsen afgebladderd en Jezus' lendendoek is helemaal verbleekt. Het kruis hangt iets naar voren, waardoor het net lijkt of het ieder moment op de bus kan vallen. Dan zou Jezus met gespreide armen op de voorruit terechtkomen, oog in oog met Marc, met op zijn lippen de eeuwige vraag: rechtsaf of linksaf?

Marc kiest voor de weg die om Pui heen voert. In de verte ziet hij de kerktoren met het stalen skelet waarin de klokken hangen, het weitje met de olijfbomen waar ze overnachtten, de oude wasplaats met de stenen wasbakken.

Als ze om het dorp heen zijn, vervolgen ze hun pad. Jeanne haalt haar hand weg van Marcs bovenbeen. Door het gat in de achterruit ziet ze haar dorp door een smal kijkgat kleiner worden. Dat klopt niet. Ze hebben de afrit naar Saint-Jurs bereikt, die Marc via de rechterstrook oprijdt. Onder de banden knerpt grind, daarna wordt het rustig.

'Wat is er?' vraagt hij, al weet hij het eigenlijk al.

Jeanne bijt op haar duimnagel.

'Wil je terug?'

Jeanne haalt haar schouders op.

'Weet je het zeker?'

Jeanne zou het graag willen verklaren. Maar wat kan ze erover zeggen? Dat ze zich voelt als een dier dat zijn hele leven in gevangenschap heeft doorgebracht en nu liever in een geopende kooi blijft zitten, dan te worden overvallen met alle verantwoordelijkheden van de vrijheid? Marc zou het niet begrijpen. Hij weet niet wat dat is.

'Maar waarom?' wil Marc weten. Zo eenvoudig laat hij haar niet gaan. 'Kijk me aan, Jeanne: waarom?'

Jeanne kijkt achterom: hij heeft een hart zo groot als dat van een olifant – meer levenslust, zin in avontuur, en tederheid dan je zou denken. En hij heeft haar daarvan laten proeven, rijkelijk zelfs. Zoveel dat ze er bang van werd. En muziek, heel veel muziek.

'Hij heeft me nodig,' zegt Jeanne.

'Wat die vent nodig heeft is een lobotomie.'

'Maar hij houdt van me.'

'Zo ziet liefde er niet uit.'

Jeanne haalt weer haar schouders op. 'Op zijn manier…'

'Maar hij behandelt je als een… liefde ziet er echt anders uit.'

De treurigheid keert terug in haar gezicht, die onweerstaanbare treurigheid die Marc drie dagen lang heeft weten te verjagen.

'Hij is niet altijd goed voor me, maar hij heeft me nodig.'

'Het maakt jou niet uit hoe hij je behandelt, als hij jou maar nodig heeft?' Dat geloof ik niet, denkt Marc. Tegelijkertijd weet hij dat er niets is wat hij ertegen kan doen. Hij ziet het in Jeannes ogen, dat ze al afscheid heeft genomen, van hem en van al het andere dat achter de bergen op haar wachtte; dat leven ver weg, achter de horizon.

'Ik heb ons lied nog niet af,' zegt hij.

Nog eenmaal is ze heel dicht bij hem. 'Zo is het misschien beter.'

'Maar hij wil je toch alleen bezitten, verdomme!'

'Ik geloof,' en daarmee wendt ze haar blik voorgoed van hem af, 'dat ik iemand nodig heb die me wil bezitten.'

Ze pakt haar tas, zet hem op haar schoot en klampt zich eraan vast. Op 1.500 meter hoogte vliegt een Airbus over hen heen, glanzend in de zon, met een witte condensstreep achter hen aan. Jeanne opent de schuifdeur.

'Volgend jaar zomer,' zegt Marc. 'Dat heb je beloofd.'

'Oui,' antwoordt Jeanne glimlachend, 'dat heb ik zeker.'

En dan ziet Marc haar in de achteruitkijkspiegel, verdeeld in honderden stukjes, terugstrompelen naar het dorp, met de tas aan haar arm en Zoë's gouden Chanel-slofjes aan haar voeten. Ze fonkelen in het licht, alsof dat het enige is wat telt. En zo keert Jeanne terug naar haar oude leven, terwijl Bernard en Lilith hoog boven haar, hun onzekere toekomst tegemoet vliegen.

Marc wacht. Tot Jeanne niet meer te zien is en het vliegtuig achter de bergen is verdwenen. Hij draait een joint en trekt de kist met zijn cd's naar zich toe. Jack Johnson. Waarom ook niet.

Troost en hoop voor elke leeftijd, de onomstotelijke overtuiging dat er een diepere betekenis bestaat voor alles. Totale onzin natuurlijk, maar wel een illusie waaraan je je graag overgeeft.

There's still so many things
I want to say to you
But go on
Just go on

Marc legt zijn benen op het dashboard en blaast de rook uit het raam. Het gepiep in zijn oor is verdwenen. De pijn in zijn nek nog niet. Maar als hij in Berlijn is, zal hij weer de oude zijn. Gaaf uitzicht trouwens, over het plateau. Wauw. Marc start de auto weer en zet koers naar de bergen.

We hebben de anderen uitgezwaaid, toen de bus brullend en gehuld in een rookwolk het weggetje afzakte. Liliths arm zwaaide uit het zijraampje, tot de bus achter een bocht verdween. Toen liet Zoë haar arm zakken. De rook vermengde zich met de warme lucht die boven de parkeerplaats hing.

'Wat gaan we doen?' vroeg ik, toen de rook was verdwenen.

Zoë keek om zich heen. Voor het eerst leek ze volledig op haar gemak. De bomen, de lucht, de zee. Ze ademde diep in om de lucht van de pijnbomen op te snuiven en richtte haar gezicht naar de zon.

'Denk je dat we al kunnen zwemmen?'